Dr. Eugenio Herrero Lozano

ENTRENAMIENTO EN
RELAJACIÓN
CREATIVA

Ilustración de portada:
Adela Caballero Allende

Para más información sobre esta publicación y los cursos:
Jardín de San Federico, 5
28009 Madrid
Tel: 914 015 968

Editado por: Herederos del autor
Tel: 915 303 574

ISBN: 84-922141-0-4
Depósito Legal: M-34118-2009
Impreso en España

Imprime:
JP Impresores
Duero,56
28840 Mejorada del Campo (Madrid)
Tel.: 91 668 15 86 - Fax: 91 668 13 12
e-mail: jpimpresores@jpimpresores.com
www.jpimpresores.com

ÍNDICE

ÍNDICE DE GRABACIONES

RELAJACIÓN FÍSICA

Ejercicio 1: Brazo derecho blando.
Ejercicio 2: Brazos y piernas blandos.
Ejercicio 3: Brazos y piernas blandos, brazos calientes.
Ejercicio 4: Brazos y piernas blandos y calientes.
Ejercicio 5: Brazos, piernas y vientre blandos y calientes.
Ejercicio 6: Respiración.

RELAJACIÓN CREATIVA

Ejercicio 7: Imaginación.
Ejercicio 8: Creación del espejo.
Ejercicio 9: Creación del paisaje interno.
Ejercicio 10: Creación de la morada interna.

PRÓLOGO A LA PRIMERA EDICIÓN 1987

Apareció un día por nuestro lugar de trabajo —todo un *mare-magnum* de libros, cajas y papeles en los que inútilmente estaba yo tratando de separar luz y tinieblas de tan inmenso caos— un individuo de aspecto apacible y bonachón, manuscrito bajo el brazo, impertérrito cuando le dirigí una mirada suplicante.

Eugenio Herrero, que así se llamaba el visitante, impartía unos cursos en relajación creativa y ante la presión de sus alumnos y colegas había decidido publicar una trascripción del curso junto con una cassette. Tras una breve conversación de trámite, le dije el consabido: «Bien, déjeme el original y le echaremos un vistazo. Ya hablaremos con más calma ... », etc.

Es difícil no tener prejuicios, y como para mí un manual de relajación y visualización creativa es una cosa muy seria, al abrir el manuscrito y encontrarme con una especie de cuento infantil ilustrado a plumilla, tuve la tentación de dejarlo a un lado para proseguir con el cúmulo de asuntos que hacían resignada cola sobre mi mesa. Pero junto con el original se incluía un *currículum vitae* del autor y aquí mi sorpresa fue total: licenciado en medicina y cirugía, especialista en psiquiatría y neurología, diplomado en sofrología médica, miembro fundador del Instituto de Estudios Psicosomáticos y Psicoterapia médica, miembro fundador del Instituto de Psiquiatría Dinámica, presidente y socio fundador de la Asociación Internacional de Terapias Holísticas Tradicionales y así, hasta nada menos que diez páginas de titulaciones, cursos, actividades docentes, congresos, etc., así que retomé con renovado interés —y una pizca de orgullo herido— la lectura del curso del ahora ya, Dr. Herrero.

Habiendo recibido años atrás instrucción en control mental y en relajación física y mental, me consideraba apto para juzgar sobre estas —a mi juicio— elevadas y complejas tareas. Sin embargo, la lectura del curso que tenia delante me desarmó por completo por su simpleza. Sus explicaciones tan llanas como profundas, una didáctica que se evidenciaba pulida por años de práctica previa, junto con un lenguaje entrañable que delataba el carácter del autor, me llevó no sólo a leerme el curso entero, sino a practicarlo con la ayuda de la cassette que se adjuntaba.

En el texto se encuentran las explicaciones suficientes para «entrenarse» en las técnicas o «herramientas» como gusta denominarlas el Dr. Herrero, pero se incluye una cassette, con ejercicios guiados por el propio autor, que sirve de ayuda definitiva para los casos más «desesperados». Pero como las «herramientas» se pueden usar de muchas maneras, el Dr. Herrero abre además, en distintas partes del texto, diversas «puertas» o sugerencias de cómo y para qué usarlas. Mejorar el rendimiento en el trabajo o los estudios, técnicas curativas o preventivas de la salud, ayudar a tener éxito en cualquier empresa o actividad, remodelación de la conducta, hábitos o aspecto personal, son algunas de las posibilidades que se abren al alcance de todos usando estas técnicas. Y todo ello deliciosamente ilustrado por Adela Caballero, «Mago de Oz» de este «Curso de las Mil Maravillas».

El Dr. Herrero dirige desde 1981, en el Hospital Central de la Cruz Roja, del cual es médico asistente, diversos seminarios teórico-prácticos sobre Técnicas de Relajación e Hipnosis, para médicos y psicólogos, así como grupos de terapia por relajación. Fruto de estos cursos —de los que existe una modificación para niños menores de 12 años— así como de los que imparte en el Instituto de Psiquiatría Dinámica de la calle General Martínez Campos 19, es esta obra que hoy tiene el lector en sus manos. Confiamos en que su lectura y práctica le será de tanta utilidad y fuente de tantas satisfacciones como lo fue para nosotros.

Editor Jorge Viñas

PROLOGO A LA CUARTA EDICIÓN 1991

Conocí a Eugenio Herrero en 1963, cuando cursaba ni primer año de Medicina en Madrid. Ya entonces, como él cuenta en el prefacio de este libro, estaba profundamente interesado en todo lo concerniente al funcionamiento de la mente y sus efectos sobre el cuerpo. Recuerdo haber asistido con él a un curso sobre Entrenamiento Autógeno de Schultz y ser testigo de sus habilidades hipnóticas: algunos de mis hermanos y amigos comunes fueron sujetos de estas experiencias. En la actualidad seguimos colaborando en el desarrollo y aplicación de formas de terapia basadas en la concepción del ser humano como un «todo», un conjunto indivisible de cuerpo, mente y espíritu, y en la consideración del acto terapéutico como una relación de colaboración entre el terapeuta y el paciente, en la que ambos se implican en una «acción conjunta» poniendo en juego su «ser total».

Hace nueve años participé como alumno en uno de sus cursos de «Entrenamiento en Relajación Creativa». Desde entonces he seguido usando la técnica a diario. Al poco tiempo de realizar el curso pensé en la posibilidad de enseñar la técnica a mis pacientes. Después de aprender la metodología de enseñanza inicié los cursos en el hospital donde trabajo. En estos años he enseñado la Relajación Creativa a médicos, enfermeras y pacientes, tanto de la Unidad de Diálisis, como de la Consulta de Nefrología (especialmente personas con hipertensión arterial), comprobando su eficacia en el mejor control de la tensión arterial y en la resolución de múltiples problemas relacionados con el estrés.

Al tiempo que enseñaba la relajación empecé a buscar bibliografía médica que apoyara y explicará «científicamente» los resultados que obviamente se producían. Mi formación como especialista en enfermedades renales era básicamente biológica y en los textos que usaba no aparecía referencia alguna a estos temas.

8

En los primeros años de la década de los 70 se inició la publicación en revistas médicas de prestigio científico, de trabajos que demostraban «cuantitativamente» los efectos de la relajación y explicaban las bases anatómicas y fisiológicas que sustentan sus efectos. Desde entonces se cuentan por miles los estudios publicados en los que se demuestran los efectos de la relajación, la imaginación, los pensamientos, las actitudes y las emociones sobre la salud o la enfermedad. Esto es algo que todos los grandes clínicos han sostenido y utilizado siempre y que los extraordinarios avances de la medicina en sus aspectos biológicos y tecnológicos habían hecho olvidar.

Muchas personas, especialmente entre la comunidad médica, mantienen una fuerte resistencia a la idea de que los seres humanos pueden hacer algo para influir sobre su propia salud empleando técnicas como las descritas en este libro. Aducen la falta de una comprobación absoluta y «rigurosamente científica». Su actitud es parecida a la de Nasrudín* en la siguiente historia:

Alguien vio a Nasrudín buscando algo en el suelo, junto a una farola.

– ¿Qué has perdido? –le preguntó.

–Mi llave –dijo Nasrudín.

Fue así que ambos se arrodillaron para buscarla.

Después de un rato, el otro hombre preguntó: – ¿Dónde se te cayó, exactamente?

–En mi casa

–Entonces ¿por qué buscas aquí?

–Aquí hay más luz que dentro de mi casa.

Para mí, una de las mayores cualidades de este libro radica en la forma clara y comprensible de transmitir con sencillez un enorme caudal de información, al tiempo que, como el autor explica, se abren una serie de «puertas» que el lector interesado

---

*   Nasrudín es un simpático y peculiar protagonista de multitud de cuentos-enseñanza de la tradición sufí. N.E.

puede franquear. Espero que pronto nos ayude a hacerlo publicando su nueva obra CONSCIENCIA CREATIVA, en la que explicará la aplicación del entrenamiento en Relajación Creativa al plano de las emociones y el pensamiento.

Segovia. Mayo de 1991

s

Dr. F. Álvarez-Ude.
Jefe de la Sección de Nefrología.
Hospital General. Segovia.

PRÓLOGO A LA UNDÉCIMA EDICIÓN

El autor de este Método, mi hermano el Dr. Eugenio Herrero Lozano, reconocido como eminente psiquiatra, falleció en el verano de 1994 y nos dejó esta "joya" de la que ya se han beneficiado varios miles de personas al aprender esta técnica, bien en los cursos que de forma continua siguen impartiéndose en el centro "Escuela Granada" y en diversos organismos y entidades, tanto públicos como privados, bien a través de este libro, trascripción exacta de dichos cursos.

Es la semilla de un conocimiento que ha fructificado en el desarrollo de otros proyectos existentes en la actualidad: Cursos de Consciencia Creativa (Entrenamiento en Habilidades Emocionales), Consciencia de la Consciencia (Entrenamiento en Salud Holística o Global), Consciencia de la Unidad, Creencias Creativas, Técnica de Estudio Creativa, Relajación Infantil, y las obras ya publicadas: *La Sabiduría de las Emociones-Entrenamiento en Consciencia Creativa, La Llave Olvidada,* y en vías de publicación: *Creencias que dañan. Creencias que sanan* y *Consciencia de la Consciencia, Consciencia de la Unidad.*

Como toda técnica valiosa tiene sus imitadores, unos la han disfrazado cambiando su nombre, otros han modificado el contenido y sólo han copiado el título, hay algunos que hasta se atribuyen su autoría, supongo que más por ignorancia que por mala intención. Es manifiesto que la "Relajación Creativa de Herrero" como se conoce en los medios especializados, tuvo su inicio en el año 1972 y quedó registrada en 1987, fecha de la primera edición de este libro, muy anterior a sus imitaciones.

Es una técnica viva, en continua expansión y renovación, que se imparte en toda España a través de un equipo de monitores especialmente formados y entrenados para poder transmitir el

12

método teórico-práctico manteniendo su esencia fundamental, origen de los múltiples beneficios de él derivados. Con este mismo propósito en esta edición se sustituye el soporte primitivo en cinta o cassette por la más actual en CD, manteniendo la voz de la grabación original del autor y por ello no debe sorprender a quien lo escuche el uso de los términos aludidos.

Este es el primer paso para realizar cualquier tipo de trabajo de conocimiento y mejoría personal, que parten del "estado de relajación" logrado con la parte corporal de la técnica, base para el desarrollo del manejo de la creatividad y las múltiples aplicaciones a las que sólo se alude en el texto como "puertas" a los lados de un pasillo, abiertas a otros espacios interiores, unas que se cruzan y otras que también podremos visitar.

Madrid, enero de 2004

Dr. Julio Herrero Lozano
Médico Psiquiatra

PREFACIO

Cuando, a finales de los años cincuenta, terminaba el bachillerato, mi deporte favorito era buscar libros en las casetas de «libros viejos» de la Cuesta Moyano en Madrid. Allí encontré el *Manual Práctico de Psicoterapia Hipnótico-Sugestiva* del Dr. J. Camino Galicia, así como varias obras de P. Jagot, y otros autores, sobre hipnotismo, sugestión y curación por los «poderes de la mente». La lectura de estos temas, y el interés por profundizar en su conocimiento, me llevó a estudiar Medicina. Mi aspiración era llegar a ser psiquiatra para poder entender lo que encerraba esa «caja negra» llamada mente, que prometía ser una caja de sorpresas y un almacén de insospechadas energías y potencialidades.

En los primeros años de carrera organicé e impartí cursos de hipnosis para mis compañeros de Facultad. Me impulsó a estas actividades la profesora de Psicología Médica, Dña. María Eugenia Romanos, de quien siempre he guardado un recuerdo entrañable. Por esa misma época estudié, experimenté y enseñé los métodos de relajación de Schultz y Jacobson, que me pareció ampliaban las aplicaciones de las técnicas hipnóticas.

Durante mi formación clínica en el Hospital, algunos profesores me llamaban para «tranquilizar» a pacientes con fuertes dolores, ataques asmáticos, reacciones alérgicas psicosomáticas, etc. También hacía «sedación psíquica» a embarazadas en el momento del parto, o en quirófano a enfermos a quienes se les practicaban técnicas del tipo de biopsias, gastroscopias, etc.

A finales de los sesenta fui miembro de la Asociación de Sofrología Médica de Madrid, participando en los cursos de formación en técnicas sofrológicas, así como en la revista que entonces publicaba esta asociación.

Durante once años impartí cursos de entrenamiento en relajación a los pacientes del Servicio de Psiquiatría del Hospital Provincial de Madrid con el Dr. Campoy, con quien a lo largo de muchos años he mantenido relación como paciente, médico, discípulo, maestro y sobre todo amigo. Desde el año 1981 hasta ahora he seguido enseñando este tipo de técnicas en el Servicio de Psiquiatría de la Cruz Roja de Madrid que dirige el Dr. E. Acosta, a quien quiero expresar mi agradecimiento por su estímulo y apoyo.

Hace seis años un grupo de amigos me pidió que les diera un curso de relajación, que incluyera otros tipos de técnicas que ellos sabían estaba utilizando en mi ejercicio profesional como psicoterapeuta. Fue entonces cuando, reuniendo mi experiencia previa y pensando en la aplicación a personas básicamente sanas, diseñé el «Curso de Entrenamiento en Relajación Creativa». Cuando estos amigos terminaron el Curso me pidieron que lo repitiera para sus familiares y conocidos, quien a su vez lo recomendaron a otros. Y así ha continuado siendo hasta hoy.

Durante estos años han aprendido esta técnica médicos, psicólogos, maestros, músicos, pintores, estudiantes, amas de casa, empresarios, etc. Todos han encontrado aplicaciones en sus áreas de actividad, y en la actualidad se está utilizando, con diversas adaptaciones, en el tratamiento de toxicómanos, en una Unidad de Diálisis, en el tratamiento de pacientes hipertensos, en las aulas de algunos colegios, etcétera.

Muchas de las personas que han recibido este entrenamiento han solicitado información escrita o grabada sobre el contenido del curso. La Dra. Raquel Martín, el Dr. Fernando Álvarez-Ude, la psicóloga Clara Giménez y el maestro de EGB Jesús García se ofrecieron a ayudarme en esta tarea, y entre todos han realizado el libro y la grabación que ahora está en sus manos. Mi amiga Adela Caballero colaboró de forma inestimable con sus dibujos. A todos les agradezco sus trabajos de grabación, trascripción y corrección y, sobre todo, el estimulo de sus consejos.

Eugenio Herrero Lozano

Madrid 1987

CONSEJOS PARA LA UTILIZACIÓN
DE ESTE MANUAL

Para aquellas personas que se acercan a esta técnica por primera vez, es aconsejable emplear un mínimo de cinco semanas en leer el manual y practicar los ejercicios.

El curso está diseñado en cinco clases y se debe leer, escuchar y realizar una clase por semana. Escoged un día de la semana en el que dispongáis de dos horas libres y dedicad ese tiempo a leer, escuchar la grabación y realizar los ejercicios contenidos en la clase correspondiente.

Durante el resto de la semana, practicad los mismos ejercicios, sin pretender ir más deprisa. Repetid lo aprendido un mínimo de dos veces al día. Es preferible que sólo utilicéis la grabación la primera vez que leáis el manual y realicéis los ejercicios; los demás días haced el entrenamiento sin recurrir a la grabación. De esta forma los ejercicios quedarán integrados en vuestro cuerpo y en vuestra memoria y no dependeréis ya de elementos externos a vosotros mismos.

Al cabo de una semana de entrenamiento, o más si lo jugáis necesario, dedicaréis otras dos horas a leer, escuchar y entrenar los ejercicios de la clase siguiente.

Las personas que ya han realizado el aprendizaje de la técnica durante cinco semanas, pueden utilizar el libro como recuerdo o para aclarar ideas. La grabación no debería ser ya necesaria.

CAPÍTULO PRIMERO

Este curso de relajación creativa consta de cinco clases y se divide en dos partes. Las dos primeras lecciones y la mitad de la tercera, están dedicadas a la relajación física. En cada sesión aprenderéis unos ejercicios, que luego debéis practicar un par de veces diariamente para que este trabajo tenga utilidad.

Durante las otras dos clases y media utilizaremos la imaginación, a partir del estado de relajación, para crear una serie de elementos imaginativos que servirán para vuestro propio beneficio. Vosotros determinaréis para qué los vais a utilizar.

Lo primero que aprenderéis hoy será a relajar la musculatura esquelética. Pero antes quiero hablaros un poco sobre diferentes métodos para aprender relajación.

Hay algunos sistemas que consisten en decir a la persona que desea relajarse: «Relájate, relájate, te encuentras muy relajado... relájate. Relaja tus piernas, relaja los brazos, relaja la cara...». Siempre he dudado de estas técnicas. Me recuerdan un poco a la persona que no sabe conducir un coche y para aprender se le sienta en uno diciéndole: «Conduce, conduce bien, conduce...». Posiblemente, no aprenderá a conducir sólo porque se le mande hacerlo. De la misma manera, la persona que no sabe relajarse no aprenderá simplemente porque se le diga. Habrá de ir un paso más atrás. Nosotros empezaremos desde este paso previo.

Usaremos para ello un concepto que se denomina «bio-feed-back», o «retroinformación» el cual tiene que ver con el hecho de recibir una información resultante de una acción que acabamos de ejecutar. Por ejemplo:

En el caso de una persona que quiere aprender a tirar dardos, lo que hará, la primera vez que empiece, será coger un dardo y tirar contra la diana. Así, verá si ha dado muy alto o muy bajo. Si ha dado muy alto, la vez siguiente procurará tirar más bajo y quizá sea demasiado bajo. En la siguiente tirada, lo intentará un poco más alto y más a la derecha o más a la izquierda, según fuera la desviación lateral de su tiro. De esta manera, cada vez que tira y «ve» dónde da el dardo, puede corregir el tiro en la siguiente oportunidad. Así, a fuerza de entrenar una y otra vez, viendo los resultados de cada tirada, cada vez sus lanzamientos serán más precisos.

En este ejemplo hay un mecanismo de retroinformación. El sujeto que tira el dardo, inmediatamente que lo lanza, ve donde ha dado en la diana, y ésta es la información que recibe de su acción. Gracias a que ve donde ha caído el dardo, puede corregir el tiro. De esto se deduce que sería prácticamente imposible aprender a tirar dardos sobre una diana estando a oscuras o siendo ciego. Si se tiraran los dardos sin ver donde se da, siempre se tirarían aleatoriamente, con lo cual nunca se podrían mejorar las tiradas.

Si os digo: «Relajaos, relajaos», no sabréis si os estáis relajando o no, porque os estará faltando la retroinformación. Pero si, en lugar de deciros esto, os digo: «Cuando os relajéis vais a sentir esta sensación, o esta otra», si notáis una de esas sensaciones, podréis decir: «¡ah!, entonces me estoy relajando».

Como hemos dicho antes, lo primero que aprenderéis es a relajar los músculos llamados esqueléticos. Son aquellos músculos que están rodeando generalmente nuestros huesos. Cuando se contraen, es decir, cuando se acortan, aproximan los extremos de dos huesos. Con este mecanismo producimos el movimiento. Por ejemplo, cuando contraemos el músculo «biceps», que va unido a un hueso del hombro y a uno del antebrazo, acercamos el antebrazo al hombro. Esto ocurre porque con la contracción se produce un acortamiento de las fibras del músculo. Por el contrario, cuando queremos separar el antebrazo del hombro tenemos que contraer otro músculo que se llama «triceps» y relajar el «biceps», permitiendo el alargamiento de sus fibras. Es decir, los músculos son estructuras elásticas que tienen la capacidad de contraerse y relajarse (aflojarse), produciendo así el movimiento de las diferentes partes del cuerpo.

En este sentido, a mí me gusta comparar los músculos con una goma o con una banda elástica. Ambas tienen elasticidad como los músculos, es decir, se pueden
estirar y se pueden acortar.

Ahora tomad una goma elástica.

¿La tenéis ya? Sujetándola con las dos manos, estira-
dla completamente. Podríamos decir así que está tensa, dura, con parecidas características a las que tiene un
músculo cuando está tenso, contraído. Si ahora aproxi-
máis las manos un poco, sigue estando tensa; menos
que antes, pero todavía está tensa. Si aflojáis más, ya está muy poco contraída, pero sigue estando contraída.

Cuando la goma está «blanda», o sea, está completamente fláccida, es cuando podéis decir que ya no hay
contracción.

Esta es una técnica audiovisual sumamente rudi-
mentaria, pero os servirá dentro de un momento.
Usaremos la palabra «blando», recordando el ejemplo
de la goma, para referimos a nuestros músculos. Se trata de que los músculos que están más o menos tensos,
contraídos, dejen de estarlo y se queden relajados, «blandos».

Lo primero que haréis será sentaros en la posición
que os voy a indicar. Es una postura en la que todos los
músculos pueden ablandarse, pueden relajarse sin que,
por ello, perdáis la posición. Para ello es conveniente
que la posición sea equilibrada, que en ella todos los
músculos se puedan aflojar sin perder la postura, o sin
tener que hacer fuerza para mantenerla.

La posición para relajarse sentado en una silla o sillón (preferiblemente con brazos), es la siguiente (ver
página siguiente):

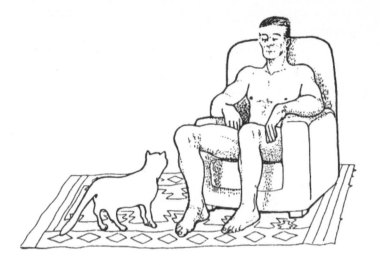

—Debéis dejar la espalda bien apoyada y derecha en el respaldo de la silla, es decir, no os quedéis con el cuerpo ladeado hacia la derecha o hacia la izquierda, porque de otro modo, al relajaros, el cuerpo tenderá a caerse.

—Las piernas deben estar flexionadas por las rodillas, más o menos en ángulo recto, sin cruzarlas ni meterlas debajo de la silla y sin ponerlas extendidas.

—Las rodillas debéis dejarlas separadas, porque si las juntáis (probad a hacerlo) notaréis que hacéis un esfuerzo con la cara interna de los muslos, y eso es una contracción muscular. Si dejáis de hacer esa contracción, si aflojáis la fuerza, las rodillas se separan, se caen y cuelgan hacia los lados.

—Los pies deben estar de plano en el suelo y más bien juntos que separados.

24

—Los brazos deben apoyarse en el brazo de la silla, más o menos por la mitad del antebrazo. No deben estar sujetos ni por la mano ni por el codo, de forma que el peso del brazo descanse sobre la mitad del antebrazo. Quizás os resulte más cómodo (lo tenéis que comprobar) con el brazo flexionado y apoyado sobre los muslos, de manera que las manos cuelguen sobre la falda o el pantalón.

—Para la cabeza, si tenéis un sillón con respaldo alto, en el que podáis apoyarla, mejor. Si no, podéis hacerlo en una silla contra la pared poniendo una almohada para sujetar la cabeza. Estas serían las posiciones más cómodas. Si no tenéis nada de esto en un momento dado, entonces la cabeza la debéis dejar en equilibrio, recta, como si estuvierais hablando con alguien de frente. Es decir, que la cabeza no cuelgue hacia adelante ni hacia atrás, porque mantener esta postura os resultaría muy cansado. Habitualmente la mantenemos recta y no nos cansamos de llevarla en esa posición.

Probad ahora cual sería vuestra postura correcta para relajaros sentados.

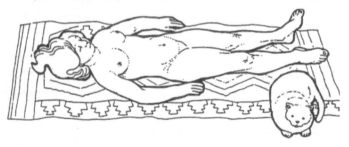

Otra postura en que debéis practicar la relajación es tendidos en la cama boca arriba (figura de arriba). Los brazos deben estar a los lados del cuerpo, sin meterlos debajo de la cabeza o debajo de la almohada, ni cruzarlos sobre el pecho; que no estén rígidos, completamente rectos, sino que estén ligeramente flexionados a la altura del codo. Las palmas de las manos dirigidas hacia el colchón y la cabeza bien apoyada en la posición que os venga mejor, con almohada o sin ella. Cada uno tiene que buscar la posición para la cabeza en la que más a gusto se encuentre. Con respecto a las piernas, deben estar extendidas, sin cruzarlas y con las puntas de los pies que no estén mirando al techo, sino colgando hacia los lados. Si mantenéis las puntas de los pies hacia el techo, notaréis que hacéis fuerza con las piernas. Si dejáis de hacer fuerza, los pies cuelgan por su peso hacia los lados.

Una vez que estéis en la postura correcta, debéis cerrar los ojos. La relajación se debe aprender con los ojos cerrados, simplemente porque cuando estamos así nos resulta más fácil percibir las sensaciones del propio cuerpo.

Después comenzaréis a observar las distintas partes del cuerpo con la intención de valorar si estáis haciendo fuerza con alguna de ellas. Con mucha frecuencia estamos haciendo fuerza y no nos damos cuenta. Es importante darse cuenta, porque es entonces cuando podemos aflojar. Por ejemplo, muchas veces os habréis sorprendido apretando los dientes y os habréis dicho: «bueno, y ¿para qué estoy apretando los dientes?: -para nada». Cuando os deis cuenta, podréis aflojar los músculos que hacen que los dientes se aprieten. Mientras no os deis cuenta de las contracciones musculares, no podréis hacer nada.

Con esta intención, repasaréis todas las partes del cuerpo procurando evitar aquellas contracciones de las que seáis capaces de daros cuenta. Conviene que sigáis tía secuencia fija, por ejemplo: brazos, piernas, vientre y pecho, espalda (de abajo hacia arriba), hombros, cuello y cara. En ésta debéis fijaros en la frente (que no esté arrugada), los ojos (que estén cerrados suavemente, sin apretar los párpados) y los dientes (que tampoco estén apretados).

Una vez lo hayáis hecho, deberéis repetir mentalmente (de cabeza) unas palabras. Estas palabras son: «ESTOY TRANQUILO» o «ESTOY TRANQUILA».

Esto no pretende ser una afirmación acerca de vuestra propia realidad. Puede que en ese momento no estéis tranquilos. Pero lo repetiréis como una formulación de propósito, como una declaración de vuestra intención de llegar a esa situación de tranquilidad, realizando el ejercicio. No entréis en el juego de que al mismo tiempo que decís «estoy tranquilo» penséis: «no, ¡que va! yo no estoy nada tranquilo». Debéis afirmarlo con la intención de que es lo que queréis, y que lo conseguiréis a través de lo que vais a hacer.

Después dirigiréis toda vuestra atención al brazo derecho (si alguien es zurdo debe hacerlo con su brazo izquierdo) y, sintiendo vuestro brazo, notando el brazo, repetiréis mentalmente «MI BRAZO DERECHO (o izquierdo) ESTÁ BLANDO».

Quiero hacer hincapié en esto, porque con mucha frecuencia no estamos notando el cuerpo; sólo lo sentimos cuando nos duele. Cuando no nos duele tenemos ausencia total de él. Entonces, se trata de tomar conciencia del cuerpo y en concreto de vuestro brazo derecho, y sintiéndolo, decir de cabeza (repetir mentalmente): «mi brazo derecho está blando». Procurad no decirlo con los labios, ni siquiera en voz baja.

Al decir la palabra «blando», sobre todo las primeras veces, os puede servir de ayuda el recordar cómo se pone blanda la goma cuando no se hace ninguna fuerza sobre ella. Con esa imagen en la mente diréis: «blandos», a los músculos de vuestro brazo derecho (o izquierdo).

Pero con todo, todavía no sabéis cuándo los músculos del brazo derecho están relajados, porque aún no os he dicho cual es la retroinformación que recibiréis, es decir, lo que sentiréis cuando los músculos del brazo derecho se hayan relajado.

Generalmente se suele sentir una o varias de estas sensaciones:

1. Se puede sentir como si el brazo estuviese pesando más sobre el brazo del sillón.

2. Otras personas notan como si el brazo estuviera flotando.

3. También se puede notar como si uno no tuviera brazo. Una sensación de ausencia, como si el brazo hubiera dejado de existir.

Cualquiera de estas sensaciones las tomaremos como señales de que los músculos del brazo derecho están blandos, relajados. Cuando dentro de un momento, al hacer el ejercicio, sintáis peso, o que el brazo flota, o como que no tenéis brazo, en ese momento vuestros músculos están informando a vuestro cerebro que ya están blandos, ya están relajados.

¿Habéis comprendido el sistema?

Antes de invitaros a hacer el ejercicio, os enseñaré lo contrario, es decir, a «desrelajaros». A este ejercicio de «desrelajarse» lo llamo «RETROCESO», porque sirve para retroceder desde la relajación hasta el estado de vigilia, que es en el que estáis ahora.

El retroceso consiste en pensar y al mismo tiempo hacer:

1. INSPIRAR PROFUNDO.
2. ABRIR LOS OJOS.
3. «TIRAR» LOS BRAZOS (extenderlos y encogerlos, varias veces, con energía).

Debéis «tirar» los brazos con fuerza hacia adelante, varias veces, y luego desperezaros con gusto, olvidándoos de la «buena educación». Comprobaréis que uno se encuentra mucho mejor después de hacerlo. Os sentiréis totalmente despiertos, tranquilos, descansados y con una agradable sensación de bienestar.

El retroceso debéis hacerlo enseguida que notéis alguna de las sensaciones descritas (peso, flotar o ausencia) en el brazo entrenado. No se trata de detenerse en sentir y comprobar la sensación, sino de hacer el retroceso tan pronto como sintáis alguna de las sensaciones a las que llamamos «blando».

Antes de empezar a hacer el ejercicio, recordad cual es la postura correcta para aprender la relajación (podéis revisar las páginas 22 y 23). Cuando ya tengáis más experiencia podréis hacerlo de otras maneras, pero de momento es conveniente que utilicéis ésta. También conviene que ensayéis un poco el ejercicio de retroceso.

Podéis poner la grabación. Os servirá hasta que hayáis aprendido el ejercicio. Es conveniente que lo practiquéis, a lo largo de la semana, sin utilizar la grabación, salvo cuando se quiera comenzar un ejercicio nuevo.

Este es un trabajo de relajación activa, es decir, se trata de conseguir que os relajéis por vosotros mismos. Por esto es conveniente que no condicionéis el relajaros a tener la grabación. La grabación os servirá al principio de cada nuevo ejercicio para aprenderlo, pero luego debéis practicarlo sin ella.

Durante todos los ejercicios, mientras estáis haciendo el entrenamiento con la grabación, estaréis oyendo un ruido especial. De momento no le prestéis atención. Os diré ahora que es solamente un sonido para ayudar a relajaros y dentro de unas cuantas clases os explicaré exactamente por y para qué lo usamos.

Resumen del contenido del primer ejercicio

1. Adoptar una posición equilibrada y cerrar los ojos.
2. Revisar las distintas partes del cuerpo, cuidando que estén en posición equilibrada, sin hacer fuerza.
3. Repetir mentalmente las palabras «ESTOY TRANQUILO».

4. Centrar la atención en el brazo derecho y, sintiéndolo, repetir mentalmente «MI BRAZO DERECHO ESTA BLANDO» (recordando la goma «blanda»).

5. En cuanto identifiquéis alguna de las sensaciones descrita, haced enérgicamente el RETROCESO.

Ahora podéis poner la grabación y realizar el ejercicio.

EJERCICIO 1: Brazo derecho blando.

Bien, esta ha sido la primera experiencia de relajación del curso. Algunos habréis notado la sensación de peso, en tanto que otros habréis notado el brazo flotando o ausente. Puede que alguien haya notado varias de estas sensaciones o una mezcla de ellas, o incluso habrá alguno que no podrá definir lo que haya sentido como peso, ausencia o flotar. Lo que es seguro es que habrá notado una sensación peculiar, a la que quizá sea difícil poner nombre, pero que será la indicación de que la relajación se está iniciando. Al ir practicando, quizás identifiquéis alguna de esas sensaciones más frecuentes. Algunas personas notan inicialmente una sensación intensa, y otras más leve. Incluso puede que no se note en todo el brazo, sino sólo en parte de él. No importa, pues de lo que se trata, simplemente, es de identificar la sensación, reconocerla por pequeña que sea y hacer el retroceso. De esa manera se va creando poco a poco un «reflejo condicionado» entre la orden que viene del cerebro y la relajación de los músculos del brazo.

Lo que haréis durante la semana es repetir estos ejercicios de la primera lección varias veces al día, siempre de la misma forma, con la misma secuencia. En la grabación siempre se emplearán, prácticamente, las mismas palabras. Comprobaréis que cada vez que hagamos un nuevo ejercicio añadiremos una parte nueva, pero hasta ella todo lo anterior será igual. ¿Porqué es así? Pues por el sentido de entrenamiento. Si una persona quiere entrenar, lo que hará es repetir un ejercicio muchas veces. Si cada vez lo hace distinto, no se estará entrenando.

Este curso no está estructurado simplemente para que os relajéis, sino para que os «entrenéis» en relajación, de manera que, practicando, llegará un momento en el que bastará con pensar unas cuantas palabras para que la relajación aparezca. Por eso insisto en que siempre uséis las mismas palabras: «estoy tranquilo», y, «mi brazo derecho está blando». Y no, «parece que tengo el brazo más blando cada vez» o «qué blando tengo el brazo», etc.

Algunas personas, cuando realizan el ejercicio por primera vez, dicen que el sonido intermitente que sirve de fondo a mi voz les pone nerviosas. Esto ocurre si se le presta atención. Muchos os habréis dado cuenta que, de hecho, mientras estabais haciendo el ejercicio, dejasteis de oírlo. Es decir, cuando uno se acostumbra al ruido deja de oírlo y, a pesar de ello, este ruido cumple su función. Como podéis imaginar, no es un ruido pensado para poner nervioso, sino todo lo contrario. Pero ya hablaremos de él más adelante.

Hay algunas personas que durante el ejercicio notan molestias, tales como picores, necesidad de tragar saliva o de moverse, porque les parece que están mal colocados. Todo esto son «resistencias» que aparecen contra la relajación. La mejor actitud con estas resistencias es ignorarlas, despreciarlas. Es decir, si aparece un picor en cualquier sitio, podéis decirle al picor (como si os entendiera, que a lo mejor, de hecho, os entiende): «Sí, ya sé que estás ahí, de acuerdo; pero ahora no me interesa. Lo que estoy haciendo ahora es relajarme y no tengo por qué rascarme». Si dejáis de pensar en el picor, si os olvidáis de él, entonces generalmente desaparece. A veces aparecen resistencias en forma de risa. Algunas personas, nada más empezar a relajarse y cerrar los ojos, empiezan a reírse. Esta sería otra forma que emplea el cuerpo para evitar la relajación.

El ejercicio siguiente consiste en entrenar los dos brazos simultáneamente. Debéis decir: «mí brazo derecho está blando»; luego: «mi brazo izquierdo está blando»; y cuando notéis la sensación en los dos brazos (y no tiene por qué ser la misma en cada brazo) os fijaréis en los dos brazos simultáneamente para confirmar la sensación, repitiendo mentalmente: «MIS BRAZOS ESTÁN BLANDOS». Repetid «mis brazos están blandos» cuatro o cinco veces y haced el retroceso.

Fijaos que no digo que os quedéis sintiendo la sensación. En esta etapa no se trata de eso. Se trata de que notéis la sensación lo antes posible y lo más intensamente posible, y que en cuanto la sintáis, hagáis el retroceso. Es decir, lo que interesa de momento es que aprendáis a producir la relajación y a salir de ella. Producirla y salir. Si tardáis cinco minutos en sentir la sensación, hacéis el ejercicio cinco minutos y salís. Puede que necesitéis más o menos tiempo. Si queréis podéis volver a hacerlo inmediatamente o al cabo de una hora. Pero no os quedéis notando la sensación mucho rato. Si lo hacéis pueden aparecer distracciones que dificultarán el aprendizaje, creando un condicionamiento entre relajarse y distraerse.

El retroceso debe hacerse enérgicamente, es decir, con intención de salir del estado de relajación. En realidad, para lo que habéis hecho hasta ahora no haría falta el retroceso, bastaría con moverse un poco. Pero como cada vez vais a ir entrando en un estado de relajación más profundo, conviene que aprendáis al mismo tiempo a entrar y salir de la relajación, y una fórmula eficaz para salir es hacer el retroceso. A medida que profundicemos estaréis trabajando más al borde del sueño y no nos interesa dormimos, sino relajarnos para aprovechar ese estado y trabajar con la imaginación, como ya veremos en próximas lecciones.

Claro está que cuando hagáis el ejercicio por la noche en la cama, no importa que os quedéis dormidos, lo que de hecho ocurre con frecuencia. Hay algunas personas que empiezan a hacerlo por la noche, se quedan dormidas y al momento se despiertan sobresaltadas e intentan seguir haciéndolo. No os preocupéis; lo importante por la noche es empezar a hacerlo y si os quedáis dormidos, el ejercicio, una vez entrenado, continuará haciéndose solo. Si no os dormís, no hagáis el retroceso, sino pasad a vuestra postura habitual para dormiros y descansad.

En este ejercicio no necesitáis la grabación, ya que es igual que el anterior añadiendo el otro brazo.

Dejad aquí la lectura y realizad el ejercicio utilizando la fórmula: «mis brazos están blandos».

EJERCICIO: Mis brazos están blandos. No se usa grabación.

Llegados a este punto, a mí me gusta hacer una pregunta, que es: ¿Por qué tenemos necesidad de aprender a relajarnos?

Se supone que en la primera infancia nos relajába-
mos. No es que supiéramos o no, sino que lo hacíamos.
Si os habéis fijado en un recién nacido, cuando está dormido o, simplemente, cuando no está haciendo nada, si
le cogemos un brazo o una pierna y lo soltamos, caen a
plomo, están relajados. Los animales, por ejemplo los
felinos, son maestros en relajación. Un gato, cuando no
está haciendo nada con una pata, la tiene relajada. Si
está haciendo algo, la tiene con la contracción muscular
necesaria para lo que está haciendo, ni más ni menos.
Es decir, saben relajarse y contraerse lo necesario para
aquello que van a ejecutar. Pero resulta que nosotros ya
no sabemos o, en todo caso, si tenemos que aprender es
porque nos parece que ya no sabemos. Y muchas veces
nos parece con razón, porque con frecuencia nos encontramos con los músculos contraídos, como si estuviéra-
mos encerrados en una coraza muscular (este concepto
de «coraza muscular» fue descrito hace años por Wil-
heim Reich).

La relajación es una forma de estar el cuerpo, pero
hemos ido aprendiendo a estar en la forma opuesta, es
decir, a estar contraídos, tensos y cada vez con más intensidad y durante más tiempo. De manera que llega un
momento en el que algún grupo muscular permanece
contraído casi continuamente. Cuando esto ocurre, ese
grupo muscular duele.

Hay muchos dolores que están producidos por contracción muscular. Por ejemplo, dolores de cabeza producidos por contracción de los músculos de la frente o
de la nuca. O dolores de espalda, por ejemplo en la pira-
ta de la paletilla, por contracción del músculo trapecio.
Fijaos que si la contracción muscular ocurre en el lado iz-

quierdo del pecho y la persona es aprensiva, puede pensar que le duele el corazón, que tiene angina de pecho o un infarto. Son también típicos los dolores de cuello, de nuca o de hombros por contracción de los músculos de esas zonas. ¿Cuántas veces os habéis sorprendido con los hombros elevados, contraídos? Y eso sabéis que no os sirve para nada; estamos mucho más cómodos con los hombros caídos, colgando por su peso.

Con todo lo anterior quiero decir que hay grupos musculares a los que hemos enseñado a contraerse por su cuenta, sin que tengan ninguna razón para hacerlo, y eso es fuente de dolor y de molestias.

¿Cómo puede ocurrir? Pienso que se trata del entrenamiento de un mecanismo que tendría que ver con el sobresalto, con el miedo. Cuando un animal, por ejemplo un mono, oye el crujido de una rama, sabe que eso puede indicar peligro, puede significar un felino que viene a comérselo. Entonces el animal se pone tenso, sus músculos se contraen, su corazón late más deprisa, su hipófisis da órdenes a las glándulas suprarrenales para que segreguen adrenalina, etc., con la finalidad de estar preparado para huir o atacar de la forma más eficaz.

Es decir, cuando un animal se sobresalta, en su cuerpo se produce una reacción de una parte del sistema nervioso vegetativo (SNV), el sistema nervioso simpático (SNS), que tiene un sentido de supervivencia. Y para sobrevivir tiene que estar bien dispuesto a huir o atacar, tensando sus músculos que a su vez van a necesitar la energía proporcionada por una mayor cantidad de sangre que llega merced a un aumento de trabajo del corazón. Si, por ejemplo, está haciendo la digestión, como ésta es menos importante que sobrevivir, la digestión quedará interrumpida. La prioridad es que el animal se ponga a salvo.

Lo que hemos explicado en el caso de un animal, es lo mismo que nos pasa a nosotros cuando vamos por la calle y un coche se nos echa encima a toda velocidad. Damos un brinco, nos ponemos en la acera y cuando ya estamos a salvo nos damos cuenta y decimos «¡puff! ¡ha estado a punto de pillarme!» Y notamos que estamos temblando, con sudor frío, pálidos, la boca seca, el corazón latiendo muy deprisa, la mirada borrosa e incluso sensación de ahogo, de falta de respiración.

Todos conocemos esta sensación de susto. Se produce siempre que está en juego la supervivencia. Es decir, este mecanismo de activación del Sistema Simpático es muy importante, porque gracias a él sobrevivimos. Si no nos diera miedo y no nos apartáramos de la calle, los coches nos atropellarían. Puede que incluso nos tiráramos desde un quinto piso por probar.

Pero ¿qué ocurre cuando ningún coche se nos echa encima y reaccionamos de la misma manera? Sucede que ponemos en marcha todo el mecanismo de supervivencia, sin que ésta haya sido amenazada. Nuestro organismo no ha equivocado la respuesta; ha sido nuestra mente, al imaginar un peligro, la que ha dado la señal de alarma al cuerpo, y éste ha respondido. Esto nos pasa porque no es necesario que un coche se nos eche encima, basta con que nos lo imaginemos, y estemos convencidos de que está ocurriendo, para que el organismo reaccione de esa forma. No es necesario que yo tenga un infarto para que se me produzca todo el mecanismo explicado, basta con que me crea que tengo un infarto. Basta con que yo crea que estoy en peligro, con que imagine

que algo me va a hacer morir, para que inmediatamente el mecanismo se ponga en marcha. Y en este caso ya no se habla de miedo, sino de angustia o ansiedad.

La ansiedad sería la reacción de miedo ocurrida por error, la que no ocurre ante una amenaza real, sino ante una amenaza imaginada.

¿Qué pasa cuando una y otra vez reaccionamos con angustia? Pues que estamos entrenando ese mecanismo. Y cuanto más lo entrenemos será más probable que la angustia o la ansiedad aparezcan ante estímulos menores. La reacción se va haciendo automática. Puesto que uno de los componentes de la reacción de miedo o angustia es la contracción muscular, resulta que a lo largo de nuestra vida hemos ido contrayéndonos una y otra vez, en general de forma innecesaria o desproporcionada. La contracción muscular ha empezado a hacerse habitual y estamos contraídos sin necesitarlo.

Lo que estáis empezando a aprender es a hacer lo contrario, es decir, a aflojar los músculos cuando no haga falta tenerlos contraídos. Si la angustia y la contracción muscular están en relación, y de hecho lo están, cuando uno está angustiado contrae los músculos del cuello, de la espalda, de los hombros. Pero también es verdad lo contrario: cuando uno relaja los músculos rebaja su nivel de angustia. Por lo tanto, la relajación también nos puede servir para que si somos expertos en angustiarnos, empecemos a aprender lo contrario. Si tenéis la suerte de no ser expertos en angustia, estaréis creando un antídoto eficaz contra su aparición.

Quizás estéis pensando que esta explicación es un poco larga es innecesaria, pues lo que queréis es aprender a relajaros y no perder el tiempo con tonterías. Pero es que, como en cada lección haremos dos o tres ejercicios, conviene intercalar una pausa y más vale aprovecharla leyendo sobre estos temas. Por otra parte, cuanto mejor comprendáis los mecanismos en que nos estamos basando, más partido podréis sacar de la relajación.

Resumiendo: con la relajación intentamos disminuir los efectos de la angustia a nivel del cuerpo, y cuando disminuimos la angustia a nivel del cuerpo físico, también disminuimos la angustia psíquica, la ansiedad. No es que al hacer relajación se os vaya la angustia, sino que estaréis haciendo lo contrario de lo que hacéis al angustiaros. Por tanto, enseñamos a nuestro organismo a defenderse de esa angustia que es la base del estrés, asunto que está y, desgraciadamente, va a estar cada día más de moda.

Ahora haremos el último ejercicio de hoy, que va a consistir en relajar ambos brazos simultáneamente; y cuando ya sintáis los brazos «blandos» debéis dirigir la atención a las piernas y decir mentalmente «MIS PIERNAS ESTAN BLANDAS». Cuando sintáis la sensación de «blando», que no tiene por qué ser igual en los brazos que en las piernas, o en una mitad del cuerpo que en la otra, la confirmaréis en las cuatro extremidades repitiendo unas cuantas veces: «BRAZOS Y PIERNAS BLANDOS». A continuación, haced el retroceso.

Dejad aquí la lectura y pasad a la grabación para realizar el siguiente ejercicio.

EJERCICIO 2: Brazos y piernas blandos.

Quiero advertiros ahora que a la mayoría de las personas les cuesta más trabajo relajar el brazo izquierdo que el derecho (en el caso de los zurdos es a la inversa), y en general más las piernas que los brazos. Cuando hayáis hecho este ejercicio, quizás hayáis notado que las sensaciones tardaban más en aparecer o eran menos intensas en las piernas que en los brazos. La explicación es que el brazo derecho, para los diestros, está más acostumbrado a obedecer a voluntad. Por ejemplo, yo pienso en escribir, cojo la pluma y escribo, y estos son movimientos finos y entrenados. Si intentara hacerlo con el brazo izquierdo, no podría o me costaría mucho trabajo. Hay otras muchas cosas que se hacen bien con el brazo derecho y torpemente con el izquierdo. Podríamos decir que hay una mejor comunicación cerebro-brazo derecho, que cerebro-brazo izquierdo.

Esa comunicación es aún mucho menor con las piernas. Las piernas las utilizamos para andar o para correr, no las usamos para movimientos finos, y estos movimientos de las piernas los hacemos casi de forma involuntaria, sin pensar en ello. Yo para andar lo que decido es ponerme de pie y luego ando, prácticamente sin tener que prestar atención a mis piernas. Diríamos que las piernas están menos «acostumbradas» a obedecer.

Con los ejercicios que habéis hecho hasta ahora, habéis aprendido una técnica para relajar brazos y piernas, pero en realidad sólo la tendréis realmente aprendida, incorporada a vosotros mismos, cuando la hayáis hecho una y otra vez, creando así un reflejo condicionado por el cual al decir «brazos y piernas blandos» inmediatamente se produzca la relajación muscular. En esto consiste vuestro trabajo, en entrenar para que se tarde muy poco en conseguir la sensación y cada vez esta sensación vaya siendo más profunda.

Lo mejor es que detengáis aquí la lectura y dediquéis una semana a practicar. Si durante este tiempo tenéis alguna duda sobre la secuencia del ejercicio, podéis hacerlo de nuevo con la grabación, pero es recomendable aprenderlo con ella y luego realizarlo solos, sin emplear la grabación.

Os recuerdo que no es conveniente ser crítico con uno mismo. No se trata de si lo hacéis bien o mal, mejor o peor que la vez anterior. Se trata simplemente de hacerlo como lo habéis aprendido. Y no os preocupéis de otras cosas, tales como la respiración, etc., sobre las que seguramente encontraréis respuesta en los siguientes capítulos.

CAPÍTULO SEGUNDO

BRAZOS PIERNAS Y VIENTRE, BLANDOS Y CALIENTES

En la semana que ha transcurrido desde la iniciación de la primera sesión, seguramente habréis realizado los ejercicios cotidianamente. Esto implicó una disciplina y un esfuerzo. Si practicasteis con constancia, seguro que ahora os resultará más fácil que el primer día. Sin embargo, os pueden haber surgido dudas sobre algunas sensaciones, hasta ahora desconocidas, pero que no deben causar preocupación ni ansiedad, ya que son manifestaciones diversas de un proceso normal.

Puede que, al hacer el ejercicio de relajación, hayáis notado «hormigueo» en las manos, brazos o piernas. Esto no solamente es normal, sino que forma parte del ejercicio que vais a hacer hoy. Si ya habéis empezado a notar «hormigueo», es que vuestro cuerpo se ha adelantado a la siguiente fase de la relajación.

42

Vosotros no lo sabéis conscientemente, pero el cuerpo sí y ya ha empezado a hacerlo. Cuando entremos en el ejercicio de hoy veréis por qué.

Quizás hayáis tenido alguna sensación extraña que os haya parecido desagradable. Si es así, lo que debéis hacer es lo mismo que dijimos respecto a las «resistencias»: intentar ignorar esa sensación, no hacerle caso. Si no podéis, lo mejor es que cortéis el ejercicio para reanudarlo horas después o al día siguiente. Es muy importante no crear un condicionamiento entre relajación y sensaciones desagradables. En ningún caso la relajación produce alteraciones perjudiciales en vuestro organismo, sino todo lo contrario. Muchas veces lo que calificamos de desagradable o aquello que nos asusta es más por ser desconocido que por otra razón.

Por ejemplo, algunas personas, cuando se relajan, notan los latidos de su corazón, bien sea en el pecho, en los oídos, en las puntas de los dedos, etc. Si lo habéis notado no debéis poneros nerviosos, ni asustaros. Alguna vez he oído decir: «a mí es que la relajación me produce taquicardia». No solamente dicen que «oyen». el corazón, sino que además le ponen un nombre con un cierto carácter patológico. Pero cuando les pregunto a qué le llaman «taquicardia» suelen decir que «notan latir su corazón».

Pienso que esto es parecido a lo que nos pasa cuando tenemos un despertador y de día no lo oímos porque hay más nidos y estamos atendiendo a otras cosas. Pero de noche, cuando todo está tranquilo y en silencio, sí lo oímos. Y esto ocurre no porque de noche el tic-tac suene más fuerte o más deprisa, sino porque hay más silencio alrededor. De la misma forma, cuando os ponéis a hacer relajación estáis, de alguna manera, haciendo el silencio en vuestro cuerpo y por eso podéis «oír» el corazón con más claridad que en situación de actividad.

Si os pasa esto, para evitar que os moleste, debéis repetiros mentalmente «mi corazón late fuerte y tranquilo» varias veces y continuar con el ejercicio. Es decir, lo importante es no asustarse y saber que sentir el corazón es completamente normal. Por supuesto, si no lo sentís no es que se haya parado, es simplemente que no lo sentís.

A veces, durante los ejercicios, notaréis cómo la cabeza se llena de ideas, pensamientos, imágenes o palabras, distrayéndoos. Esto es normal al principio, y se evita, durante la fase de aprendizaje, haciendo rápidamente el retroceso, tan pronto como identifiquéis la sensación de «blando». De está forma evitaréis despistaros impidiendo un condicionamiento entre relajación y dispersión mental.

Por otra parte, como veíamos en el primer capítulo, haciendo el retroceso en el momento indicado y de forma enérgica evitaréis el quedaros dormidos, lo que ocurriría fácilmente, en ejercicios posteriores, al relajaros más profundamente no habiendo adquirido bien el hábito de entrar y salir de la relajación.

En este punto dejad de leer y repetid el último ejercicio del primer capítulo, el mismo que habéis entrenado durante la semana pasada.

44

EJERCICIO 2. Brazos y piernas blandos.
            Intenta no utilizar la grabación.

Antes de seguir quiero deciros que no vamos a hacer ejercicios especiales para relajar la musculatura esquelética de otras partes del cuerpo. Contamos con un mecanismo que trabaja a nuestro favor, que es el mecanismo de la «generalización». Consiste en que, aunque sólo hubierais aprendido el ejercicio inicial («mi brazo derecho está blando»), trabajando con él terminaría por aparecer la misma sensación en el brazo izquierdo, luego en las piernas y más tarde en el resto del cuerpo.

Una vez comenzado el proceso de relajación, tiende a seguir por sí mismo, a generalizarse, hasta el extremo de que, por ejemplo, no habéis trabajado aún con el ejercicio siguiente y puede que ya hayáis empezado a notar sensaciones del mismo. No sólo la relajación muscular se va generalizando por todo el cuerpo, sino que cambia a otros niveles de relajación más profunda, como el nivel en el que trabajaremos a partir de ahora. Pero antes veremos algunas de las cosas que ya estáis consiguiendo con la relajación.

Beneficios de la relajación

La piel es un semiconductor que tiene una resistencia eléctrica que varía con el grado de tensión-relajación muscular y también con el grado de ansiedad-serenidad. Cuando los músculos se contraen (o cuando uno se angustia) la resistencia eléctrica de la piel disminuye y viceversa.

Existen unos aparatos que son capaces de registrar estas variaciones de la resistencia eléctrica, y que, mediante un sonido, nos avisan de si disminuye (nos estamos contrayendo o poniendo ansiosos) o aumenta (nos relajamos y tranquilizamos). Son uno de los tipos de aparatos de biofeed-back o retroinformación, concepto que ya explicábamos al principio del primer capítulo, y se emplean para comprobar si efectivamente nos estamos relajando. Nosotros no vamos a emplearlos porque usaremos como retroinformación, la identificación de las sensaciones de las que ya hemos hablado, evitando así la dependencia de un aparato no siempre accesible.

Además de poder servirnos como señal, las variaciones de la resistencia eléctrica de la piel pueden beneficiarnos en otro sentido. El aumento de la resistencia eléctrica, que ocurre cuando nos relajamos, crea una barrera contra el paso de los gérmenes a través de la piel y las mucosas. De manera que una persona habitualmente relajada está poniendo un obstáculo a la penetración de los gérmenes en el organismo y evitando infecciones, al contrario de lo que ocurrirá en una persona habitualmente tensa. Como veremos más adelante, hay otros mecanismos que se desencadenan con la relajación y que contribuyen a la defensa contra las infecciones.

Recordaréis lo que explicábamos en el primer capítulo sobre la relación entre contracción muscular y diferentes tipos de dolores. Pues bien, aprendiendo a relajarnos, podemos eliminar dolores de cabeza desencadenados por la tensión de los músculos de la nuca o de la cara que termina por generalizarse a todos los músculos que cubren el cráneo. También podremos aliviar o eliminar muchos otros dolores que dependen de una tensión muscular exagerada y sostenida, por ejemplo: dolores de hombros, de espalda (lumbago), calambres en las piernas, etc., que son tan comunes.

Con la relajación muscular hacemos un entrenamiento de vías neuromusculares, es decir, de vías nerviosas en relación con los músculos, que reaprenden cómo ajustar el grado de relajación-contracción a las necesidades del momento. Como sabíamos hacer, sin darnos cuenta, de recién nacidos o como explicábamos que son capaces de hacer los animales.

Hablábamos también de cómo la relajación tiene un efecto sobre ciertas cosas que ya no están tan claramente ligadas al cuerpo, como la ansiedad. Decíamos que la ansiedad parece más bien un asunto de la mente, pero que está claramente ligada al cuerpo a través de contracciones musculares y otras respuestas orgánicas desencadenadas por un desequilibrio entre los dos sistemas que constituyen el Sistema Nervioso Vegetativo (S.N.V.): el Sistema Nervioso Simpático (S.N.S.) y el Sistema Nervioso Parasimpático (S.N.P.).

Estos dos sistemas funcionan como los brazos de una balanza. Cuando el S.N. Simpático se dispara ante un peligro se ponen en funcionamiento una serie de mecanismos cuya finalidad es libramos de él. Estos mecanismos, enormemente complejos, se pueden describir de una forma simplificada de la siguiente manera.

Cuando percibimos un peligro (por ejemplo, un coche que se nos echa encima) esa percepción llega a los lóbulos frontales del cerebro y desde ahí se transmite al hipotálamo y centros nerviosos cercanos. Desde aquí el impulso se transmite, por un lado, por vía nerviosa, hasta los diferentes órganos y sistemas donde existen terminaciones en las que se segrega un mediador químico: la noradrenalina.

Por otra parte, a través de la sangre, mediante sustancias químicas llamadas hormonas, se envían mensajes, a través de la hipófisis o directamente, a las glándulas suprarrenales que responden segregando otro mensajero químico similar que se llama adrenalina.

Ambos mensajeros hacen que el corazón lata más deprisa, las arterias se contraigan y la tensión arterial aumente, aparezca sudoración (destinada a enfriar la piel si hay que hacer un gran esfuerzo), el hígado suelte glucosa (azúcar) a la sangre que los músculos emplearán como combustible para contraerse, la saliva y los otros jugos digestivos dejen de segregarse, pues no interesa desperdiciar la energía disponible (como consecuencia la boca se secará y la digestión se detendrá), etc.

¿Qué sucede cuando el peligro ha pasado (hemos saltado a la acera y el coche se ha ido?). Es preciso que el S.N. Parasimpático se ponga en funcionamiento para reordenar todo lo anterior. Si el corazón latía deprisa se pausará, si las arterias se habían contraído se dilatarán, la respiración que se había acelerado se hará más lenta, el azúcar en la sangre disminuirá, la digestión se reanudará, etc.

Puede llegar a ocurrir que cuando el S.N. Simpático se dispara una y otra vez, y lo hace tanto ante peligros reales (reacción de miedo) como ante peligros imaginarios (reacción de angustia), se va creando una «facilitación», de modo que se irá disparando cada vez con mayor facilidad e intensidad ante estímulos menos importantes.

Con todas estas explicaciones lo que pretendo es que toméis conciencia de que el entrenamiento en relajación es un entrenamiento del S.N. Vegetativo. Si habitualmente y por la tensión, la angustia o el estrés, el S.N. Simpático está exaltado y se dispara ante cualquier estímulo, el S.N. Parasimpático ha ido «disminuyendo» su capacidad de corregir estos trastornos. La relajación, mediante su entrenamiento, permite devolver la balanza a su situación de equilibrio. Evitando el desequilibrio disminuiremos los efectos corporales negativos de la angustia y el estrés.

Pero además, con la relajación disminuye la angustia y mejora la depresión. Esto es algo que los que trabajamos en relajación habíamos notado y nos hacía sospechar la existencia de algún trasfondo neuroquímico en ello. El que disminuyera la angustia parecía razonable, porque con la relajación se aprendía a tranquilizarse, pero el efecto sobre la depresión era más difícil de entender.

En el año 1982, un equipo de investigadores americanos demostró que la práctica continuada de la relajación hacía que una sustancia de origen cerebral, que en personas deprimidas se encuentra en exceso (la abreviatura de su nombre científico es MAO), disminuyera. De hecho, desde hace años, en el tratamiento con medicinas de la depresión se han estado empleando sustancias inhibidoras de la MAO.

Por otra parte se vio que en el sistema nervioso hay sustancias que disminuyen cuando uno está angustiado, que tienen propiedades ansiolíticas similares a las medicinas que se emplean para el tratamiento de la ansiedad y la angustia. Con la práctica de la relajación el hipotálamo produce este tipo de sustancia, contribuyendo al alivio de la ansiedad.

En el hipotálamo, y en general en muchos puntos de todo el sistema nervioso, se producen también otra serie de sustancias llamadas endorfinas que tienen propiedades analgésicas (es decir, que disminuyen el dolor), euforizantes y tranquilizantes. Con la relajación aumenta la producción de endorfinas (de composición química similar a la morfina) contribuyendo a disminuir el dolor y la sensación de angustia que le acompaña.

Ese mecanismo explica en parte el efecto de la relajación en la preparación al parto. Habréis oído hablar también que, con personas muy entrenadas en relajación, se han practicado intervenciones quirúrgicas sin ningún tipo de anestesia. Estas personas han aprendido a producir sus propios analgésicos en cantidad suficiente para poder ser operados sin otro tipo de analgésicos o anestésicos. Por medio de la hipnosis y la acupuntura se pueden conseguir los mismos efectos.

Quedan todavía dos cosas más que quiero comentaros:

1. Con la relajación iréis tornando progresivamente conciencia de vuestro cuerpo. Generalmente sólo notamos el cuerpo cuando nos duele, cuando está enfermo y no funciona bien. Ahora empezaréis a notarlo sano, a daros cuenta de que funciona correctamente.

2. A medida que os vayáis relajando más y más notaréis cómo se establece un «distanciamiento» de las sensaciones. Por ejemplo: habrá ruidos a vuestro alrededor pero no os afectarán, no interrumpirán lo que estáis haciendo. Y, lo que puede ser más importante, irá surgiendo

lo que Schultz llamaba «distanciamiento afectivo». Si tenéis un problema podéis sentirlo a una cierta distancia, ser capaces de observarlo y de esa forma estar en mejores condiciones de resolverlo. Esto es: se establecerá una diferencia entre «yo tengo este problema» y «este problema me tiene a mí» (me domina, lo llevo sobre mis hombros, me abruma y me siento incapaz de valorarlo y resolverlo).

Quizá llegados a este punto os preguntéis: ¿Cómo es posible que una cosa tan simple como la relajación pueda tener tal cantidad de efectos?, ¿será verdad que relajándome puedo conseguir todas estas cosas?

Respecto a la primera pregunta es importante distinguir entre simple y simpleza. La mayoría de las cosas que funcionan y son eficaces parecen simples (y lo son) cuando se las conoce. Debemos recordar que las técnicas de relajación empezaron a desarrollarse en Occidente en los años 20 del siglo pasado y desde entonces gran cantidad de médicos, terapeutas e investigadores hemos trabajado con y sobre ellas, de forma que ahora las entendemos mejor y nos parecen sencillas.

En cuanto a la segunda pregunta, la respuesta es: sí. Claro que no en un día o dos, sino poco a poco, con entrenamiento y empleándola regularmente (de la misma manera que un corredor va entrenando hasta que consigue rebajar su marca).

Relajación de la musculatura lisa

Hasta ahora habéis estado entrenando los músculos voluntarios. En el organismo hay otra clase de músculos llamados involuntarios, o de fibra lisa, que supuestamente no responden a nuestra voluntad. Yo creo que hoy su nombre debería cambiarse porque sólo son involuntarios mientras no se saben controlar voluntariamente. Cuando un individuo aprende a controlar esos músculos, dejan de ser involuntarios. Esto es algo que todos hemos aprendido a hacer desde niños con un músculo inicialmente involuntario, como el de la vejiga de la orina, que lo es hasta que el niño aprende a controlarla.

Estos músculos involuntarios forman las paredes de muchos órganos, como el estómago, el intestino, el útero, la vesícula, etc., así como de las arterias y las venas.

Hoy empezaremos por aprender a controlar los músculos que forman parte de las paredes de arterias y venas.

Las arterias y las venas son «tuberías» que llevan la sangre de un sitio a otro y tienen la característica de que sus paredes no son rígidas, sino elásticas y, por tanto, pueden contraerse o relajarse, disminuyendo o aumentando su calibre. Con el siguiente ejercicio aprenderemos a aumentar el diámetro de las arterias relajando los músculos de sus paredes.

La dilatación de arterias y venas va a permitir facilitar la circulación, que sea más fluida y, por tanto, haya un mayor aporte de sangre a los músculos. Este mecanismo de dilatación vascular se produce automáticamente cuando se relajan los músculos de un miembro. Por ello puede que ya hayáis notado, al relajar los músculos, una sensación de hormigueo o latidos. De la misma manera que con la relajación muscular notabais ciertas sensaciones, que varían de unas personas a otras, con la relajación vascular podréis notar otras diferentes, que pueden ser:

1. «Hormigueo» o cosquilleo: Generalmente se produce en la punta de los dedos, por dilatación de los vasos capilares, pero puede notarse en otras partes.

2. Calor: Se produce un aumento de la temperatura por mayor afluencia de sangre, y no es sólo una sensación subjetiva sino que se puede medir y, en personas entrenadas, puede aumentar la temperatura de la piel hasta un grado centígrado o incluso más.

3. Miembro «dormido»: Es una sensación similar a la que habréis notado alguna vez cuando dejáis mucho rato una extremidad inmóvil.

4. Sensación de «guante»: Como si el miembro, o una parte de él, estuviera enfundado en un guante.

5. Sensación de aumento de volumen: Como si el miembro se pusiera más grueso. Y realmente ocurre así, porque al llegar más sangre lógicamente aumenta su volúmen.

6. Sensación de latidos en los dedos.

Cuando al hacer el ejercicio, después de decir «brazos y piernas blandos» digáis «MIS BRAZOS ESTAN CALIENTES», aparecerá en ellos alguna de las sensaciones descritas y generalmente terminará por aparecer una agradable sensación de calor. A cualquiera de estas sensaciones de calor, latido, etc., la llamaremos «caliente». Yo diré: «brazos y piernas blandos» y luego «brazos calientes», y las sensaciones las podréis sentir en todo el brazo o en parte del mismo, quizás con diferente intensidad de un lado a otro. En cuanto sintáis cualquiera de estas sensaciones, haced el retroceso.

Es posible que repitiendo el ejercicio una y otra vez, vayan apareciendo más sensaciones. En cualquier caso, es mejor hacer un ejercicio repetidas veces, durante unos pocos minutos, que sólo una vez al día durante más tiempo.

Vamos a realizar ahora el ejercicio. Dejad la lectura y colocad la grabación...

EJERCICIO 3: Brazos y piernas blandos, brazos calientes.

¿Habéis tenido algún problema? Si es así releed el inicio del capítulo. Si no, continuad con el texto.

Quiero comentaros ahora un concepto que estableció, a principios del siglo XX, un farmacéutico francés llamado Dr. Coué. Él hablaba de «psicoplasia» y la definía como el fenómeno por el cual todo pensamiento tiende a transformarse en acto. Hay experiencias interesantes de cómo aquello que uno está pensando, involuntariamente tiende a transformarse en acto. Y de hecho esto tiene que ver con lo que hemos estado haciendo hasta ahora. Habéis pensado que los músculos se iban a relajar y lo han hecho, habéis pensado que las arterias se iban a relajar y lo han hecho.

En eso consistiría la «psicoplasia»: en que el pensamiento tiende a convertirse en acción, aunque algunas veces llega a ser acto y otras no.

Si esto es así, y parece que lo es, fijaos en la importancia que tiene el cómo utilicemos nuestro pensamiento. Será completamente diferente que seamos personas que habitualmente pensemos de una manera positiva, agradable y constructiva, o que vayamos siempre buscando

54

el aspecto negativo de cada situación. Quizá todo esto tenga que ver con la buena suerte de mucha gente optimista y la mala suerte de algunas personas pesimistas. La persona pesimista puede estar pensando en cosas negativas que le han sucedido o le van a suceder, y de alguna manera puede que determine el que este tipo de cosas le ocurran. Lo contrario podría ser cierto en el caso de personas optimistas y positivas.

Esto que acabo de contar no es más que un planteamiento al margen. Veréis cómo a lo largo del curso iré haciendo algunas sugerencias que no tienen mucho que ver, de forma directa, con el curso de relajación en sí, pero que, si os parecen interesantes, os pueden hacer pensar más detenidamente sobre ellas. Un ejemplo sería la influencia que puede tener el contenido de nuestros pensamientos sobre el cómo nos encontramos.

Otro punto es si lo que llevo dicho hasta ahora con respecto a los efectos de la relajación, es decir, que ésta puede ser una forma de autopsicoterapia, es verdad. Desde el momento en que la relajación sirve para combatir la angustia y la depresión, es una forma de psicoterapia que uno se hace a sí mismo. Y yo diría que no sólo de autopsicoterapia, sino también de autofarmacoterapia, puesto que hace un momento he dicho que el hipotálamo produce sustancias parecidas a las medicinas que compramos en las farmacias para combatir la angustia o la depresión.

¿Qué beneficios pensáis pueden derivarse del ejercicio de relajación vascular?

Si con él se consigue producir una dilatación del sistema vascular ocurrirá que llegará más sangre a los tejidos y con esa sangre más oxígeno y más alimentos, limpiándose además con más facilidad del CO_2 y de los productos de deshecho que van soltando las células. De esa manera, las células y los tejidos podrán trabajar mejor.

Si ahora pensáis en las arterias coronarias (las que riegan el propio corazón), dilatándolas, estaremos consiguiendo lo contrario de lo que ocurre en la isquemia coronaria, que es la enfermedad que origina la angina de pecho y el infarto por disminución del calibre de las mismas. Es decir, estaremos haciendo prevención de estos problemas; y también de los problemas vasculares cerebrales: por ejemplo, hay personas que tienen dolores de cabeza de origen vascular (jaquecas) producidos por el espasmo de los vasos cerebrales. Este ejercicio es una forma de mejorarlos y curarlos.

La hipertensión arterial se puede considerar, de forma esquemática, como el resultado de una contracción excesiva de las arterias. Las arterias están más contraídas de lo necesario y, por lo tanto, la presión dentro de ellas aumenta. Pues bien, si relajamos y dilatamos las arterias, la tensión arterial disminuirá. Y efectivamente se ha comprobado que la tensión arterial, cuando uno hace relajación, disminuye (por ejemplo de 20 a 16). Al salir de la relajación de nuevo aumenta, pero puede que se mantenga algo más baja (digamos en 19). Al cabo del tiempo volverá a la cifra inicial (20), pero si se hace la relajación regularmente varias veces al día, poco a poco, a lo largo de unas semanas, se consigue que la tensión arterial disminuya permanentemente.

Generalmente se necesitan varias semanas, a veces meses, de ejercicio para conseguir resultados, ¡pero no hay que olvidar que la tensión arterial ha estado subiendo poco a poco durante años!

También se ha visto, en los laboratorios de investigación, que si se mide la cantidad de colesterol en la sangre de personas voluntarias antes y después de la relajación, el colesterol disminuye al relajarse.

Si con la relajación conseguimos disminuir la tensión arterial y la cantidad de colesterol en la sangre, estaremos previniendo la arteriosclerosis, que no es sino un endurecimiento y envejecimiento prematuro de las arterias que se favorece si están elevados la tensión arterial y el colesterol. En resumen, con la relajación estaremos favoreciendo el funcionamiento de nuestro corazón y, en general, de todos nuestros órganos y tejidos.

Además se ha visto que con la relajación aumenta el número de leucocitos que circulan en la sangre. Los leucocitos (glóbulos blancos) son las células encargadas de defendemos contra las infecciones. Esta sería, pues, una razón más que explicaría por qué con la relajación pueden disminuir las enfermedades infecciosas (resfriados, gripe, etc.). En realidad el estrés y la tensión continuada alteran el funcionamiento de todo el sistema inmunitario encargado de protegemos de las infecciones. La relajación contribuirá a mejorar su funcionamiento.

Vamos a realizar el cuarto ejercicio: «brazos y piernas blandos y calientes»... Una vez hayáis repetido mentalmente «mis brazos están calientes» y hayáis identificado la sensación correspondiente, debéis dirigir vuestra atención a las piernas y repetir mentalmente «MIS PIERNAS ESTÁN CALIENTES». Después de notar la sensación en las piernas, prestaréis atención a los brazos y las piernas a la vez y repetiréis «BRAZOS Y PIERNAS BLANDOS Y CALIENTES».

Dejad la lectura y poned a funcionar la grabación.

EJERCICIO 4: Brazos y piernas blandos y calientes.

¿Qué tal os ha ido? Podéis hacer una curiosa comprobación. Si lleváis anillo intentad sacároslo. Quizá notéis
cierta dificultad, que es debida al aumento de volumen
del dedo.

La técnica que he descrito hasta ahora está,
esencialmente basada en el método de Schultz, médico
alemán que a principios del siglo XX describió lo que
él llamó «Entrenamiento Autógeno». Schultz decía que
había creado «una técnica de calentar todo el cuerpo
para tener la mente fría».

Puede que a estas alturas notéis alguna dificultad
para relajar una parte concreta del cuerpo, como el
cuello o los ojos. Una técnica que suele funcionar bien
consiste en que, cuando ya estéis en estado de relajación
y notéis claramente que algún grupo muscular está
todavía contraído, en lugar de intentar relajarlo, como
así no os responde, lo que debéis hacer es aumentar
la contracción y después aflojar, volvéis a contraer y
aflojáis de nuevo, procurando siempre aflojar un poco
más de lo que contraéis.

Con frecuencia hay músculos que permanecen
contraídos sin que nos demos cuenta. Si queremos
aflojarlos, como se han declarado en rebeldía contra
nuestra voluntad, lo que hay que hacer es aumentar
voluntariamente lo que los músculos están haciendo «por
su cuenta», para así voluntariamente poder disminuirlo.
Esto está basado en otra técnica de relajación que fue
descrita por Jacobson que, simultáneamente y sin tener
contacto alguno con Schultz, estaba trabajando sobre
relajación en los Estados Unidos.

Estas son las primeras técnicas de relajación occidentales. La técnica de Jacobson consiste básicamente en contraer un músculo, para tomar conciencia del mismo, y luego aflojarlo, seguir contrayéndolo y aflojándolo, y cuando ya se sabe hacer esto, se afloja directamente, sin necesidad de apretar previamente. Este método fue llamado por su autor «Relajación Progresiva».

Hoy habéis iniciado la conquista del sistema nervioso autónomo. Habéis empezado a controlar algunos de los músculos llamados involuntarios y continuaréis con los músculos de las vísceras que están dentro del vientre.

Nos ocuparemos ahora del dominio de la musculatura lisa «involuntaria» de las paredes de la vesícula biliar, el estómago, los intestinos grueso y delgado, el útero, las trompas de Falopio, etc. Es decir, relajaremos los músculos de las vísceras del abdomen. Pero, en lugar de hacerlo de una en una, lo que haremos será dirigir nuestra atención a un centro nervioso muy importante que controla el funcionamiento de todas estas vísceras: el plexo solar. Está localizado más o menos a la altura de la boca del estómago, profundamente, por debajo del reborde de las costillas y por encima del ombligo. Está en esa zona que la gente llama «la boca del estómago», ese sitio donde cuando uno se angustia dice «se me forma una bola aquí». Pero, por supuesto, no vamos a dirigir la atención a una «bola» ni a ninguna otra cosa desagradable.

Fijaros que es una zona del cuerpo que no sentimos normalmente, salvo cuando nos duele. De hecho se ha definido la salud como el silencio del cuerpo, y yo pienso que la salud también puede ser sentir el cuerpo sano y no doliendo o «gritando». Así que vamos a dirigimos a una zona del cuerpo que está en silencio, que no nos está gritando, que no nos duele. Y vamos a dirigir allí la atención para sentirla sana.

En este ejercicio daréis la misma orden que dábamos a los brazos y las piernas. Diremos «VIENTRE BLANDO Y CALIENTE» refiriéndonos al plexo solar y no a todo el vientre.

Puede ocurrir que sintáis como si la pared abdominal estuviera más blanda, más elástica o como hundida. Podéis notar hambre, o «nidos de tripas» o una ligera sensación de calor que, si aparece, en general no es tan intensa como en los brazos o en las piernas. También es fácil que no sintáis nada. Esto no quiere decir que no estéis consiguiendo nada, sino simplemente que no obtenéis una respuesta con sensaciones. El ejercicio sí que está funcionado.

Lo importante de este ejercicio no es sentir «blando» o «caliente». Lo importante es la orden que va de la cabeza al vientre. Debéis dar la orden y si sentís alguna sensación será una comprobación, y si no, no será una prueba de lo contrario. De hecho hay algunas personas que empiezan a hacer el ejercicio y no notan nada, pero después de llevar un tiempo ejercitándose pueden solucionar problemas del tipo de estreñimiento, gases, reglas dolorosas, etc. Estos efectos pueden suceder rápidamente. Puede que incluso sucedan antes de que termine el curso, aunque no notéis ninguna sensación al hacer el ejercicio. Pero no os preocupéis; ocupaos sólo de dar siempre la orden.

Quiero advertiros de que a partir de ahora probablemente la sensación de «blando» en brazos y piernas no va a ser tan clara ni tan intensa y puede que se mezcle con la de «caliente». Lo que ocurre es que cuando trabajasteis con brazos y piernas «blandas» la sensación, seguramente, os llamó mucho la atención. A medida que habéis ido trabajando la sensación se habrá hecho más intensa, pero vuestra expectación ante la sensación habrá disminuido. Así, aunque os parezca que la sensación disminuye, lo que ocurre es que os habéis acostumbrado a sentirla. Además, la tensión de fondo habrá ido disminuyendo y por tanto habrá menos diferencia al relajarse.

Es importante, ahora que empezamos con la relajación del vientre, que no os apriete nada ni en la cintura ni en el cuello cuando hagáis los ejercicios. Aflojad corbatas, cinturones, etc.

El ejercicio se puede hacer antes o después de las comidas, pues se ha visto que ayuda a hacer una buena digestión, lo que pasa es que si lo hacéis después de comer os podéis quedar dormidos.

Dejad ahora la lectura y colocad la grabación para realizar el ejercicio...

EJERCICIO 5. Brazos, piernas y vientre blandos y calientes.

Es preferible que os detengáis aquí y practiquéis estos ejercicios durante una semana antes de pasar al siguiente capítulo.

CAPÍTULO TERCERO

ESTOY TRANQUILO

Antes de empezar esta sesión conviene repetir el último ejercicio de la segunda sesión.

EJERCICIO 5: Brazos, piernas y vientre blandos y calientes. Intenta no utilizar la grabación.

Recordaréis que hasta ahora hemos trabajado primero con la musculatura esquelética o voluntaria, en la segunda lección con la musculatura lisa, también llamada involuntaria, y explicábamos hasta qué punto merecía este nombre. Pues bien, hoy trabajaremos con un sistema que goza de ambas característica, voluntariedad e involuntariedad: el sistema respiratorio.

Si os fijáis, está claro que todos respiramos la mayor parte del tiempo de forma espontánea, sin intervención de la voluntad. Sin embargo, si os pidiera que retuvierais la respiración o que respirarais más deprisa, lo podríais hacer voluntariamente sin dificultad. No obstante, si dejamos la respiración tranquila, es decir, si no interferimos en ella, irá tomando en cada momento las características más adecuadas para la actividad que estemos realizando.

Cuando corremos respiramos de una forma y cuando estamos durmiendo lo hacemos de forma diferente. Este ajuste se realiza de una manera muy eficaz por un complejo mecanismo en el que intervienen cambios en la composición de la sangre, vías nerviosas y diferentes zonas del cerebro localizadas en la base del encéfalo. Se trata de un mecanismo desarrollado hace millones de años en la escala evolutiva y funciona perfectamente por sí solo.

Nosotros trabajaremos con este sistema respiratorio evitando interferir en él. Algo que puede ser voluntario, como es modificar el ritmo o la intensidad de la respiración, nos aguantaremos las ganas de hacerlo. Os explicaré este asunto más detalladamente.

Generalmente, cuando observamos nuestra respiración, inmediatamente surge el deseo de modificarla haciéndola más rápida o más lenta. Esto es, precisamente, lo que intentaremos evitar en este ejercicio. Si os habéis fijado, cuando en el ejercicio anterior estabais en la fase de «brazos, piernas y vientre blandos y calientes», la respiración tenía unas características especiales. En general es una respiración más lenta y mientras que en unas personas es más superficial, en otras es más profunda.

En cada persona la respiración tiene unas características propias que aparecen siempre de forma espontánea al hacer el ejercicio previo. Para unos será lenta y superficial y para otros lenta y profunda, pero siempre con idénticas características en cada persona. De la misma forma que hay una respiración adecuada a la carrera o al reposo, hay una respiración adecuada al estado de relajación, que en general es igual o muy parecida a la que tenemos cuando estamos profundamente dormidos.

La respiración que aparece cuando nos relajamos suele tener una característica común para todo el mundo: es fundamentalmente abdominal. En general, cuando hacemos ejercicio físico, tendemos a respirar con el tórax, es decir, con el pecho, mientras que cuando dormimos, la respiración se hace automáticamente abdominal: movemos el vientre hacia fuera y hacia dentro.

Todos habréis observado también que la respiración tiene dos fases: una en la que el aire entra en los pulmones, que llamamos inspiración, y otra en la que el aire sale de los pulmones y que llamamos espiración. Este ciclo se repite sin tregua desde el momento en que nacemos hasta que nos morimos. Sin embargo, aunque la respiración es un proceso continuo a lo largo de toda nuestra vida, muy pocas veces somos conscientes de él. Raramente nos damos cuenta de que respiramos.

En este ejercicio nos daremos cuenta de la respiración y la utilizaremos como un metrónomo, que es un aparato empleado por los músicos para medir el ritmo. La respiración nos marcará un ritmo y nosotros no lo cambiaremos, simplemente lo observaremos.

Trataremos de observar nuestra respiración, su ritmo y profundidad, «respetuosamente». Si la respiración se ha colocado automáticamente de una forma determinada, tal y como debe ser, ajustada a la situación en la que estamos (y eso es algo que el cuerpo sabe hacer perfectamente), debemos observarla y respetarla en todas sus características. No debemos ir con la voluntad, con la conciencia, a rectificar el automatismo del cuerpo.

Observaremos la respiración como simples espectadores de un maravilloso espectáculo. La miraremos como miramos una representación de teatro en la que normalmente no intervenimos. A nadie se le ocurre subirse al escenario a ayudar al bueno o castigar al malo. Aquí haremos lo mismo con la respiración. En este sentido suelo decir que es un ejercicio de respeto y humildad para nuestra parte consciente y voluntaria, que tiene que adaptarse, observar y no interferir.

En este momento quiero hacer ciertas consideraciones respecto a las diferentes funciones que tienen la dos fases respiratorias.

En la inspiración, cuándo «metemos» aire en los pulmones, hacemos un esfuerzo muscular para inspirar;

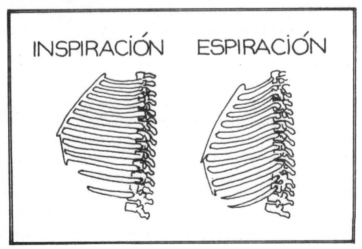

INSPIRACIÓN   ESPIRACIÓN

contraemos (ponemos tensos) los músculos intercostales que separan las costillas y con ello aumentamos el volumen del tórax y el aire entra. Al ensanchar el tórax, el aire, que está fuera, entra en nuestro cuerpo.

Otro músculo que colabora en este proceso es el diafragma. Es un músculo aplanado, colocado entre el pecho y el vientre, separando los órganos del tórax: corazón y pulmones, de los del abdomen (estómago, hígado, intestinos, etc.). Cuando el diafragma se contrae, baja y agranda la cavidad torácica facilitando la entrada de aire.

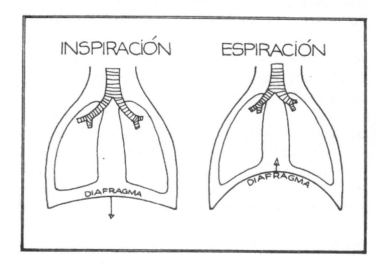

En resumen, la inspiración es un proceso activo en el que «metemos» aire en los pulmones mediante la contracción de los músculos respiratorios.

Al contrario, la espiración es un proceso pasivo puesto que los músculos respiratorios, tanto los intercostales como el diafragma, se relajan. De esa forma la cavidad torácica disminuye de volumen y el aire «se escapa». En general no expulsamos el aire sino que «sale» pasivamente.

Pues bien, observamos la respiración y nos daremos cuenta de su fase activa, la inspiración, en la que «metemos» el aire dentro, y de su fase pasiva, la espiración, en la que el aire «sale» solo.

Durante la inspiración repetiréis mentalmente la palabra «ESTOY». A esta palabra le daremos un significado, para que no sea una repetición monótona y sin sentido. Le daremos el sentido de «estoy yo», «estoy aquí» y «estoy ahora». Es decir, con esa palabra, «estoy», durante el período activo de la respiración intentaremos tomar conciencia de nosotros mismos, en este instante y en este lugar. Y al decir en este lugar quiero decir aquí, en el vientre y pecho, que es donde estoy notando el movimiento. Aquí y ahora.

Puede decirse que este ejercicio es una toma de conciencia de la «Realidad», entendiendo por realidad: «yo, aquí y ahora». Porque yo, pensando en lo que me pasó esta mañana, no estoy aquí y ahora, estoy en el recuerdo de lo que me pasó. Y pensando en lo que me va a pasar esta noche tampoco estoy en mi realidad; soy yo imaginando cosas del futuro. Y ni el pasado ni el futuro son mi realidad. Mi realidad es este instante y luego este otro. ¿Os dais cuenta de que casi nunca estamos aquí y ahora? Estamos casi siempre en lo que ha pasado o en lo que va a pasar. En la realidad de «yo, aquí y ahora» no estamos prácticamente nunca.

Aquí me gusta siempre contar lo que una persona que se llamaba Gurdjieff solía decir al respecto: «El problema de Vds., los occidentales, es que nunca están en casa». Lógicamente no se refería al lugar en el que vivimos, sino al aquí y al ahora. Estamos siempre en otro sitio, pensando en cosas que han pasado en otro lugar o en otro momento o que pensamos que van a pasar y sabe Dios si sucederán o no. No estamos en la realidad de este instante. Este ejercicio tiene como finalidad, en parte, aportar ese sentido de realidad durante unos segundos o minutos a lo largo de nuestro día.

En la otra fase de la respiración, la espiración, que es pasiva, diremos la palabra «TRANQUILO» o «TRANQUILA». Esta palabra lleva un tiempo decirla, pero pensarla es instantáneo, de forma que podemos alargarla o acortarla cuanto queramos, adaptándola a la espiración. Y pensaremos esta palabra notando una sensación de serenidad, de bienestar, de relajación que se produce con la salida del aire y que se extiende por todo el cuerpo. Cada vez que el aire sale pasivamente, os daréis cuenta de que deja una sensación de bienestar, un poso, un residuo de serenidad.

En resumen, el ejercicio consiste en repetir «ESTOY» en cada inspiración y «TRANQUILO/A» en cada espiración, y hacerlo dándose cuenta, tomando conciencia del proceso respiratorio una y otra vez.

Veréis cómo, si hasta ahora habéis tenido problemas de distracción, en este ejercicio respiratorio, si está bien hecho, no os despistaréis. Y es así precisamente, porque el objetivo es que toda nuestra conciencia, toda nuestra atención, estén presentes en el proceso de la respiración.

Yo me doy cuenta de que estoy respirando, de que soy yo quien está «metiendo» el aire y luego yo lo voy a dejar «salir» tranquilamente. Es un proceso de contracción y expansión que, parece ser, es lo que ocurre continuamente en todo lo que nos rodea, en el sistema solar, en el Universo.

Si durante este ejercicio tenéis necesidad de suspirar, lo hacéis tranquilamente. El suspiro funciona muchas veces como un reajuste de la respiración.

Quiero deciros que este ejercicio, que parece muy sencillo porque consiste simplemente en repetir mentalmente dos palabras a un ritmo marcado por la respiración, en realidad presenta a veces una cierta dificultad inicial, que es precisamente el no modificar el ritmo que la respiración ha adquirido de forma espontánea al relajarnos.

Ahora pasad a la grabación y realizad el ejercicio. En él, después de decir «brazos, piernas y vientre blandos y calientes», os diré que observéis vuestra respiración y que con cada inspiración repitáis «ESTOY» y con cada espiración «TRANQUILO/A».

EJERCICIO 6: Respiración.

Puede que alguno de vosotros haya tenido la sensación, durante el ejercicio, de no estar respirando. Esto ocurre porque con frecuencia los movimientos respiratorios se hacen tan suaves que prácticamente no se notan. Es sólo una cuestión de disminución en la amplitud de los movimientos respiratorios que puede llegar a ser de tal magnitud que uno tiene la sensación de no estar respirando. No os preocupéis ni os asustéis por eso y seguid tranquilamente adelante con el ejercicio.

En algunos casos el ritmo respiratorio puede ir cambiando durante el ejercicio. Si esta modificación ocurre espontáneamente, está bien. Pero hago hincapié en que no modifiquéis voluntariamente la respiración: ella sabe muy bien lo que se hace.

A veces, durante los ejercicios, al relajarnos, puede que un miembro, bien sea una pierna o un brazo, «se dispare», se mueva espontáneamente de forma brusca. Quizá os haya pasado esto alguna vez al dormiros, en el período de «duermevela».

Este fenómeno fue descrito y estudiado por una persona que trabajó mucho con el entrenamiento autógeno de Shultz. Se llamaba Luthe y lo denominó «descarga autógena». Él lo interpretaba como una descarga de tensión que estaba retenida, almacenada en algún músculo o grupo muscular, y aprovechaba un cierto grado de relajación para descargarse. Si esta interpretación es correcta, se trata de algo positivo. De forma que si os ocurre no intentéis evitar el proceso; dejad que el brazo o la pierna se muevan y así descarguen la tensión acumulada, y seguid con el ejercicio.

Es aconsejable trabajar durante unos cuantos días con lo aprendido hasta aquí antes de continuar con la siguiente etapa.

RELAJACIÓN CREATIVA

Al inicio del curso decíamos que la primera mitad del mismo la dedicaríamos a la relajación física y la otra mitad a la relajación creativa. Pues bien, a partir de aquí nos dedicaremos a experimentar con los aspectos creativos facilitados por el estado de relajación.

A partir de ahora, aprenderemos, basándonos en una relajación física adecuada, a utilizar nuestra imaginación de una forma creativa.

En un diccionario, las palabras «creación» o «creador» vienen referidas a Dios y casi nunca, al menos por ahora, a los hombres. Es decir, parece darse a entender que la capacidad de crear es algo propio de dios o del hombre. Nosotros no vamos a hablar aquí del sentido divino de la Creación: «Dios creó el mundo y todo lo que hay en él de la nada». Más humildemente usaremos el término «creación» en el sentido sacar las de dentro de nosotros hacia fuera.

La relajación física que hemos aprendido hasta ahora nos ayudará en este proceso de sacar cosas de nuestra interioridad. Podría entenderse que pasarán desde el inconsciente al consciente, de la mente al cuerpo, de la idea a la realización, o del cerebro derecho al izquierdo.

Llegados a este punto siempre hablo de Miguel Ángel. Cuando viajé hace años a Florencia y fui a contemplar su David, antes de llegar a la sala donde está situado me sorprendieron unos enormes bloques de piedra a los que se llama «los esclavos». Los que los habéis visto, cómo de grandes masas de mármol parecen surgir aquí un brazo, allí una cabeza, un tronco o una pierna. Son esculturas que por lo visto Miguel Ángel dejo sin terminar.

Yo realmente no sé si su intención era terminarlas o no, pero lo que está claro es que allí hay un bloque de piedra en bruto del que sale medio cuerpo, una cabeza... Podría decirse que la creatividad de Miguel Ángel consistía en sacar aquella figura humana, que él había creado en su imaginación, del interior de un bloque de piedra. Como la figura estuviera ya dentro del bloque y lo que el hiciera fuera descubrirla, ponerla de manifiesto.

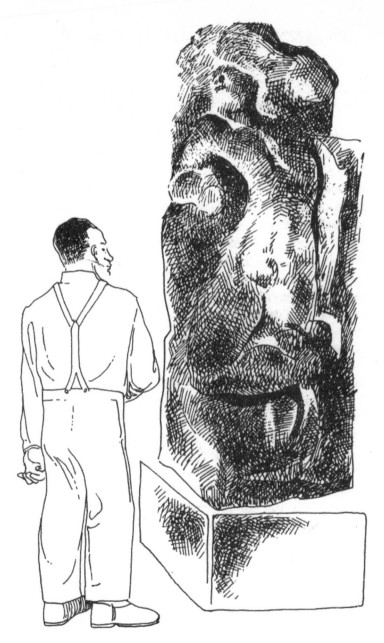

De hecho, Miguel Ángel hablaba en estos términos de su arte. Veía un bloque de mármol y decía: «Dentro de este bloque hay un ángel y lo único que tengo que hacer es quitar la piedra que sobra para que aparezca». Pero ¿dónde estaba realmente el ángel?; sin duda en la mente de Miguel Ángel, en su imaginación. Bastaba con que de ahí lo trasladara a la piedra y quitara lo sobrante, para que el ángel apareciera. En este sentido es en el que nosotros trabajaremos con la relajación creativa, aplicándola cada uno según sus deseos, sus intereses o su trabajo.

De momento lo primero que haremos es desarrollar una serie de herramientas, de trucos imaginativos, para manejar nuestra creatividad, nuestra imaginación, en nuestro propio beneficio.

La imaginación es un proceso que todos conocemos bien y en el que habitualmente estamos involucrados de forma casi continua; a veces queriendo, pero muchas veces sin querer. Recordad lo que hablábamos del «yo, aquí y ahora» y cómo con frecuencia no estamos en la realidad; cómo nos sumergimos en la imaginación de cosas pasadas o futuras; cómo prácticamente todo el tiempo estamos imaginando situaciones ajenas a la realidad presente.

Puesto que tenemos tanta costumbre de imaginar, utilizaremos la imaginación en nuestro propio beneficio, es decir, de una manera constructiva, voluntaria y consciente.

Imaginar es algo que todos sabemos hacer perfectamente. Por ejemplo, si yo os digo que cerréis los ojos e imaginéis una silla, la que queráis, con la forma, en el lugar, en la posición y con el color y las demás características que queráis, nadie tendrá ningún problema para hacerlo.

Si os he pedido que lo hagáis con los ojos cerrados es porque así es más fácil imaginar. Pero cualquiera puede imaginar un coche, por ejemplo de color blanco, con los ojos abiertos. Todo el mundo puede imaginar cualquier cosa que desee.

La imaginación es un proceso que se facilita cuando uno está en estado de relajación. Cuando nos relajamos podemos imaginar con más facilidad, con más viveza.

Ritmos cerebrales

Antes de seguir, explicaré aquí qué significa y para qué sirve el ruido intermitente que habéis estado escuchando hasta ahora durante los ejercicios.

Cuando una persona está imaginando, de alguna manera es como si estuviera metida dentro de sí misma, viendo su propio mundo, el mundo que está en su imaginación. Pues bien, si a una persona que está haciendo esto se le hace un electroencefalograma (EEG) se observa una sincronización del ritmo cerebral.

Un EEG se realiza poniendo sobre el cuero cabelludo unos electrodos que recogen la electricidad que las células del cerebro producen al funcionar. El registro obtenido, transformando los impulsos eléctricos en un trazado sobre un papel, es un electroencefalograma.

Si a cualquiera de vosotros os hiciera en este momento un EEG lo más probable es que registrara un ritmo de las ondas cerebrales de poca intensidad y de mucha frecuencia (aproximadamente de 14 a 30 ciclos por

ritmo alfa

1 segundo

ritmo beta

segundo). A este ritmo se le llama ritmo beta (β) cerebral. Basta con cerrar los ojos para que este ritmo se transforme en uno más lento de, digamos, 12 a 14 ciclos por segundo. Lo que ha ocurrido es que se ha producido una sincronización y además un aumento de amplitud. Si ahora nos dormimos el ritmo se hará todavía más lento, de 7 a 8 ciclos/segundo, y las ondas serán aún más amplias. Al ritmo cerebral entre 8 y 12 ciclos por segundo se le llama ritmo alfa (α).

Probablemente lo entendáis mejor con un ejemplo. Imaginad una habitación en la que hay muchas personas hablando todas al mismo tiempo y cada una de sus cosas. Si lo registramos con un magnetófono y luego lo transformamos en una gráfica, obtendremos una vibración por la voz de cada uno (una frecuencia alta). Y el conjunto será de poca intensidad, es decir de baja amplitud (suponiendo que nadie esté hablando a gritos).

¿Entendéis cómo sería ese registro? Si ahora digo: «Vamos a organizamos. En lugar de decir cosas diferentes nos vamos a sincronizar y diremos todos juntos una poesía», comprenderéis que entonces la intensidad (la amplitud) será mayor porque será la suma de todas nuestras voces, y el número de vibraciones (la frecuencia) disminuirá. El ritmo se hará más armónico porque todos estaremos diciendo lo mismo a la vez. En esto consiste la sincronización cerebral.

El cerebro funciona a un ritmo rápido y de poca intensidad (ritmo β) cuando realizamos actividades del tipo de escuchar, leer, hacer un cálculo matemático, entender algo, hablar, etc. Al cerrar los ojos y hacer silencio del exterior, dejando de prestar atención a lo de fuera y prestando más atención a nosotros mismos, el ritmo cerebral se pausa y amplía tendiendo a aparecer un ritmo α. Este ritmo se mantiene y profundiza aún más, aumentando la sincronización, cuando nos relajamos o hacemos meditación.

Pues bien, se ha visto que el ritmo α cerebral tiende a aparecer con ciertas actividades cerebrales, tales como el imaginar, que a su vez se favorecen con este ritmo. Si yo quiero imaginar, consiguiendo provocar un ritmo α cerebral podré imaginar mejor. Se sabe también que en ritmo α se incrementa la memoria, se recuerdan mejor las cosas y también se aprenden mejor. Existen, por tanto, una serie de capacidades que parecen ser más fáciles cuando el cerebro está en ritmo α.

En resumen, hay capacidades que tienen que ver conmigo hacia fuera, en las que el cerebro funciona en

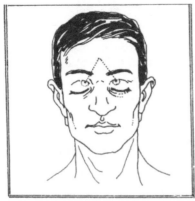

ritmo β, y otras que tienen que ver conmigo hacia dentro, que se asocian a un ritmo α cerebral.

El ruido intermitente que escucháis durante los ejercicios es producido por un aparato que emite un sonido cuyo ritmo puede modificarse.

Al inicio de los ejercicios se pone a funcionar a 18-20 ciclos/segundo acompañando vuestro ritmo β cerebral. A medida que el ejercicio progresa el ritmo se va pausando lentamente hasta dejarlo entre 8 y 12 ciclos/segundo, lo que favorece la sincronización cerebral, es decir, el paso a ritmo α. Este ritmo se mantiene durante el ejercicio, y al final, mientras hacéis el retroceso, se vuelve a aumentar para pasar de nuevo de α a β.

Existe otro procedimiento para ayudar a la sincronización del ritmo cerebral. Consiste en realizar un movimiento con los ojos de convergencia superointerna, como si mirásemos con ambos ojos hacia el centro de la frente o el entrecejo. Al cerrar los ojos se inicia la sincronización que se favorece con el ruido intermitente, aumenta durante la relajación y se facilita con el giro de los ojos. Este giro lo vamos a utilizar como una señal de que vamos a empezar a trabajar con nuestros sentidos internos, como un interruptor de los mismos.

Haremos el ejercicio como hasta ahora y en un momento determinado os diré: «Realiza un giro con los ojos para conectar tus sentidos internos». Lo hacéis y *luego los volvéis a su postura normal.* No se trata de pasarse todo el ejercicio con los ojos hacia arriba y adentro, sino sólo un instante.

A continuación os diré que imaginéis un objeto... Insisto en la palabra imaginar en vez de decir otras, como visualizar, que pueden inducir a error. La palabra imaginar tiene un sentido más amplio que visualizar. Por ejemplo, puedo deciros que imaginéis la quinta sinfonía de Beethoven, el sabor ácido, el tacto de un melocotón o el olor de una rosa. En ninguno de estos casos es preciso visualizar. Nosotros podemos imaginar muchas sensaciones diferentes, referidas a distintos sentidos internos, en tanto que visualizar se refiere sólo al sentido de la vista.

Pasad ahora a la grabación y realizad el ejercicio.

EJERCICIO 7: Imaginación.

Habréis notado con este ejercicio que al imaginar el limón la boca se llenaba de saliva. ¿Qué creéis que puede significar esto? Se trata de algo parecido a los reflejos condicionados de Pavlov. Cuando, por ejemplo, a un perro se le enseña comida, automáticamente empieza a segregar saliva. En este ejercicio, ha bastado con que imaginarais el limón para que esa reacción del cuerpo ocurriera. El cuerpo reacciona frente a una cosa imaginada como si fuera real. El limón era imaginado y el cerebro ha dado las mismas órdenes para que sea digerido, como si fuera real.

Podríamos decir que para el cuerpo no existe diferencia entre lo que imaginamos y lo que realmente ocurre. Esto es muy importante porque, como señalábamos, continuamente estamos imaginando cosas que están afectando, de una manera u otra, a nuestro cuerpo como si fueran reales. Si tenemos el hábito de imaginar y pensar cosas positivas será completamente distinto que si tenemos la mala costumbre de pensar o imaginar cosas negativas, por ejemplo enfermedades o dolores.

Recordad aquello que comentábamos en las primeras lecciones sobre la reacción de supervivencia que el sistema nervioso simpático pone en marcha cuando nos amenaza un peligro. Pues exactamente igual ocurrirá en el cuerpo sí yo me imagino que un peligro me amenaza, por ejemplo si imagino que un coche se me echa encima. Por supuesto si es que me lo imagino creyéndomelo.

Muchas personas están atemorizadas por cosas sin realmente haberlas vivido. Hay gente que tiene temor a los aviones y nunca les ha ocurrido nada en ellos, incluso puede que ni hayan subido en uno. No es necesario que yo haya vivido un suceso para que me atemorice y desencadene una reacción de miedo en el cuerpo. Basta con que me lo imagine.

Hay personas que no pueden montar en ascensor porque imaginan que puede quedarse parado y ellas encerradas. Esto les provoca una angustia tremenda. Ni siquiera es necesario que se trate de una experiencia personal, basta con imaginar que a ellas les podría ocurrir o que a otra persona le ha ocurrido.

Como veis, de nuevo hemos estado hablando de un tema que no parece guardar una relación directa con la técnica de relajación. Esto ha ocurrido en varias ocasiones hasta ahora y volverá a suceder en otros momentos del curso. Se trata de información de interés sobre mecanismos físicos y/o mentales que de alguna manera nos conciernen a todos y que cada uno puede usar si le parece bien.

Vendría a ser como si durante el curso de relajación fuéramos andando por el pasillo principal de una casa con diferentes puertas a los lados del mismo. Yo, de vez en cuando, abriré alguna de las puertas y me asomaré al cuarto con vosotros. Quien quiera puede entrar en la habitación correspondiente y explorar su contenido.

Vamos ahora con el último paso de los ejercicios de hoy. Consiste en imaginar unos objetos concretos que empezaremos a utilizar para nuestro beneficio. El imaginar un limón, aparte de servirnos para comprobar la reacción del cuerpo ante una cosa imaginada, también nos es útil para poner en funcionamiento los sentidos internos. Y son varios, no solamente la vista. De hecho hay diferencias en las personas respecto a la vía de acceso preferente a los archivos de la memoria. En tanto que algunos acceden a sus recuerdos de forma fundamentalmente visual, otros lo hacen de forma auditiva o a través de sensaciones táctiles, olfativas, etc.

Cuando a partir de ahora hagáis el ejercicio sin usar la grabación, después de hacer el giro con los ojos podéis imaginar diferentes frutas, con objeto de ir «entrenando» vuestros sentidos internos. En cada caso imaginad la forma, el color, el volumen, el peso, el olor y la textura de la piel. Después cortad la fruta y examinad la pulpa con todas sus características: olor, sabor, etc.

Trabajo con la autoimagen

A continuación imaginaremos el marco de un espejo. Conviene que sea un marco grande como el de una puerta. También conviene que sea ancho, es decir, fácilmente distinguible y vistoso. Puede ser del material y los colores que más os apetezcan, aunque no os aconsejo el color negro. En resumen, imaginad el marco de un espejo del tamaño de una puerta y perfectamente visible. Puede ser un marco que ya hayáis visto y podéis cambiarlo a vuestro gusto, o bien podéis inventarlo por completo.

El marco nos servirá como ejercicio de imaginación, igual que la fruta, y al mismo tiempo para enmarcar. un espacio. La mayoría, al imaginar un limón, lo habréis hecho en una cesta de fruta, sobre una mesa, en la nevera... porque en un espacio vacío es difícil imaginar. Por esta razón primero imaginaremos un marco que delimite un espacio y centre nuestra atención y luego nos imaginaremos un espejo en el que nos veremos a nosotros mismos.

La imagen que crearéis en el espejo conviene que sea vuestra mejor imagen posible. Al decir esto quiero decir que es mejor que os veáis sonriendo que con cara de mal humor, mejor sanos que enfermos. Si alguien cree que está muy gordo es mejor que se vea más delgado.

Si piensa que tiene demasiadas arrugas en la frente de estar cavilando y le parecería mejor no tener tantas, pues se imagina sin arrugas en la frente.

No se trata, por lo tanto, de ver la imagen que tenéis ahora, sino la imagen que os gustaría tener. Tenéis que ser vosotros mismos pero mejorando aquellas cosas que os gustaría mejorar. Se trata de ver vuestra imagen ideal que en algunos aspectos puede coincidir con la real, pero en otros no, y en los que no se da esta coincidencia la imagen ideal debe ser mejorada para que estéis satisfechos con ella.

En el siglo XV, Paracelso decía: "Tal como el hombre imagina ser, así será, y es aquello que imagina".

Una vez que veáis vuestra imagen en el espejo debéis «saludarla» y dirigiéndoos hacia ella repetid mentalmente la frase: «ESTOY MEJOR, MEJOR Y MEJOR». Ésta es una frase tomada del Dr. Coué, a quien ya mencionábamos en el capítulo segundo hablando de la «psicoplasia». Él usaba una técnica de tratamiento basada en la sugestión y fue muy eficaz.

Una de las cosas que el Dr. Coué hacía, era recetar a sus pacientes (del modo como recetan los médicos las medicinas) que dijeran, por ejemplo, quince veces en el desayuno y la comida y treinta en la cena: «Estoy mejor, mejor y mejor». Y resulta que esta técnica funcionaba, la gente mejoraba con un método tan simple. Puesto que es una técnica que fue útil, y por otro lado no cuesta ningún trabajo, se puede introducir perfectamente aquí.

Con esto os sugiero que si queréis cambiar dos o tres cosas en vosotros, podéis ver la autoimagen y decir «estoy mejor» viéndoos, por ejemplo, más optimistas,

82

«mejor» viéndoos más delgados (o gruesos) «y mejor» viéndoos sin fumar. Si se trata de una sola cosa, con cada «mejor» reforzáis, mejoráis el resultado. Éste es un saludo que os haréis a vosotros mismos siempre que os miréis en el espejo imaginario.

Si alguien tiene dificultad para imaginarse a sí mismo, se puede imaginar una foto suya que le guste.

Puede ocurrir que al imaginar uno su propia imagen el marco del espejo se desdibuje. Esto es normal, pues si bien inicialmente fijábamos nuestra atención en el marco, luego, al mirarnos a nosotros mismos, desviamos nuestra atención y el marco puede desaparecer.

A estas alturas siempre hay alguien que se pregunta por qué el marco no debe de ser negro. Simplemente porque imaginarse uno mismo dentro de un marco de ese color es casi como verse dentro de una orla negra y eso, en nuestra cultura, tiene connotaciones poco agradables. Por lo tanto si ponéis un marco de cualquier otro color, mejor.

Pasad ahora a la grabación y realizad el ejercicio siguiente.

EJERCICIO 8: Creación del espejo.

Supongo que habréis podido imaginar el marco sin problemas. Normalmente suele costar más trabajo ver la autoimagen que el marco.

Es importante tener en la mente, frente a nosotros, nuestra propia imagen aunque sólo sea por irnos segundos y además que esa imagen sea la mejor posible. Si recordáis lo que ocurría al imaginar el limón podéis pensar que el imaginarse a uno mismo sano y alegre puede tener un efecto saludable sobre nuestro cuerpo.

Esto vendría a ser lo contrario de lo que ocurre en las enfermedades psicosomáticas. Son enfermedades que aparecen en nuestro cuerpo como resultado de cosas «negativas» que pensamos o imaginamos. Si yo consigo, a pesar mío, crear de esta manera enfermedades en mi cuerpo, puedo aceptar que imaginando ciertas cosas positivas, interpretando los sucesos de una manera diferente, pueda crear «salud psicosomática».

Bueno, aquí vamos a dejarlo por hoy. Durante una semana entrenad con este ejercicio. Puede que al principio os cueste trabajo imaginar vuestra propia imagen pero luego os resultará más fácil. Puede ayudaros el miraros en tul espejo real fuera del ejercicio y cerrar los ojos para imaginaros, repitiéndolo varias veces. Este ejercicio es el más difícil del curso y no hay que desanimarse si uno tiene dificultades al principio.

CAPÍTULO CUARTO

MI PAISAJE INTERNO

El ejercicio que habéis estado practicando durante la pasada semana tiene, entre otras, la función de aprender a utilizar la imaginación controlándola voluntariamente.

Aquello que imaginamos es creación nuestra, lo imaginamos nosotros y debe ser tal y como nosotros queramos. Esto puede resultar más o menos fácil, teniendo en cuenta que la imaginación habitualmente funciona «por libre». Continuamente estamos imaginando, pero casi nunca lo hacemos voluntariamente. Podríamos decir que la imaginación es un tanto salvaje, empleando esta palabra en el sentido opuesto a cultivada. Pues bien, una de las funciones de estos ejercicios es irla acostumbrando a funcionar de una forma voluntaria y controlada.

Si queréis imaginaros una cosa, os imagináis esa cosa y ninguna otra. Si queréis imaginarosla de otra manera, lo hacéis tal y como queráis. Por ejemplo, si queréis imaginaros el espejo de frente y lo veis de lado, podéis preguntaros: «Ese espejo ¿de quien es? Es mío. ¿Dónde está? En mi imaginación. ¿Quién lo crea? Lo creo yo». Entonces el espejo no se puede poner de lado, se debe poner como vosotros deseéis.

Por supuesto, para poder trabajar con la imaginación de forma voluntaria y controlada se precisa una relajación física adecuada. Hay un verso de San Juan de la Cruz: «Salí sin ser notada, dejando ya mi casa sosegada» que, yo pienso, tiene que ver con este asunto. Siempre he entendido que primero hay que producir sosiego en la «casa», es decir, en nuestro cuerpo, dentro de nosotros mismos, donde se supone que deberíamos vivir, para que el espíritu, el alma, la mente o como queráis llamarlo, pueda salir «sin ser notada».

Para mí, la relajación física es el paso previo fundamental para cualquier técnica de profundización, ya sea meditación, concentración, trabajo parapsicológico (transmisión de pensamiento, telequinesia, etc.) o cualquiera de estas cosas.

Tras el control del cuerpo vendrá el estudio y control de la mente. Para poder controlarla, primero debemos adquirir la capacidad de observarla. Sólo podremos hacerlo si somos capaces de distanciarnos y desidentificarnos de los contenidos mentales.

Fijaos que cuando hacemos la relajación física empezamos por «desidentificarnos» del cuerpo. Decimos:

«mi brazo derecho está blando» es decir, ese brazo «que es mío» pero que no soy yo, y lo observamos. Luego seguimos haciendo lo mismo con el brazo izquierdo y con el resto del cuerpo. ¿Qué hemos hecho? Nos hemos desidentificado del cuerpo, hemos aprendido a poner una distancia entre él y nosotros y, al mismos tiempo, hemos incrementado nuestra conciencia corporal.

Es evidente que para poder observar el cuerpo necesitamos un punto externo de referencia. Ese punto de referencia somos nosotros mismos observando nuestro cuerpo. Por tanto ya no somos nuestro cuerpo exclusivamente.

Para poder hacer un trabajo similar con la mente el primer paso es «desidentificarnos» de sus contenidos. Si nos identificamos con todo lo que pensamos e imaginamos la consecuencia es que «somos lo que pensamos e imaginamos» y por tanto no podemos observarlo.

Si queremos observar el contenido de nuestra mente, ya sean pensamientos o emociones, debemos «desidentificarnos» de ellos, de forma que podamos observarlos desde una cierta distancia. Haremos con nuestra mente lo mismo que hicimos con el cuerpo. Observándola podremos empezar a eliminar imaginaciones, a conocer y cambiar, si tal es nuestro deseo, pensamientos y emociones. Podríamos llegar a producir «silencio» en la mente, a dejar «la mente en blanco», algo que todos hemos oído decir, aunque no conozco realmente a nadie capaz de hacerlo.

Esta es una más de las puertas del pasillo a que hacíamos referencia en capítulos anteriores. Puede que alguno de vosotros se interese por entrar en esta

88

habitación, donde se puede aprender a observar y manejar el contenido de la mente.

El curso de relajación creativa tiene muchas utilidades posibles. Hay personas que han aprendido esta técnica de relajación y la están empleando en el área de la parapsicología. Otras la emplean con vistas a un mejor conocimiento de sí mismas o, por ejemplo, para mejorar su creatividad en áreas como la música o la pintura. Cada uno de vosotros decidirá cómo hacer uso de las herramientas que está adquiriendo. Puede que alguno escoja dejarlo todo...

Dejad aquí la lectura y repetid el último ejercicio del tercer capítulo, el que habéis entrenado durante la última semana. Ya no será necesaria la grabación para este ejercicio.

EJERCICIO 8: Creación del espejo. Intenta realizarlo sin ayuda de la grabación.

Como decíamos en el capítulo tercero, está demostrado que cuando nos relajamos y nuestro cerebro comienza a funcionar en ritmo a, nuestra capacidad de imaginar aumenta. Al relajarnos cerramos, por así decirlo, nuestros sentidos externos. Muchos de vosotros habréis notado cómo al relajaros los ruidos del exterior se perciben de una manera diferente. Incluso dejáis de percibirlos. También os habréis dado cuenta cómo dejáis de tener la sensación corporal habitual para tener tuna diferente.

Al cerrar los sentidos externos abrimos los internos y con ellos imaginamos la fruta, su forma, su color, la textura de su piel, el peso, el olor y el sabor. Sería interesante saber si las cosas que imaginamos son reales o no.

Todo lo que imaginamos ha sido percibido con anterioridad por los sentidos. Aunque podemos hacer combinaciones, por ejemplo, imaginar un gato azul o un melón rosa, son siempre cosas o características (colores, olores, etc.) que hemos percibido previamente.

Por lo general llamamos reales a las experiencias sensoriales compartidas por varias personas. Si os enseño este mechero (mostrándolo en mi mano) y os pregunto si es real, todos diréis que sí, porque todos lo estáis viendo. Todos los podéis tocar y en base a que varias personas confirman que existe, decimos que es real. Pero si os enseño esta manzana (mostrando la mano abierta sin nada en ella) que no veis en mi mano, diréis que no hay tal manzana. En realidad yo la estoy viendo y vosotros no. No es real para vosotros porque no podéis captarla con los sentidos externos. Pero esta manzana que hay en mi mano la estoy captando con mis sentidos internos.

Más adelante veremos un experimento que hicimos para confirmar que las cosas imaginadas, es decir, percibidas con los sentidos internos, son reales, en el sentido de poder ser compartidas por otros que estén en el mismo nivel de utilización de los sentidos internos.

Pero antes daremos un paso atrás y veremos algunas formas de aplicación de la relajación física que ya habéis aprendido.

Os aconsejaría que todos los días siguierais entrenando los ejercicios de relajación. Quizá no sea necesario entrenar el ejercicio completo con todos los pasos de la segunda mitad del curso. Puede bastar con hacer la parte de relajación física, al menos una vez al día. Y esto para siempre, para toda la vida, de la misma manera que desde que aprendisteis a lavaras los dientes lo habéis hecho todos los días y tenéis intención de continuar haciéndolo. La relajación sería, cuando menos, un ejercicio higiénico habitual, corno ducharse o lavarse los dientes.

La relajación debe entrar a formar parte de vuestra higiene, tanto corporal como mental. Con ella entrenaréis vuestro sistema nervioso parasimpático (S.N.P.), es decir, aquella parte del sistema nervioso que «reorganiza» lo que el sistema nervioso simpático (S.N.S.) «desorganiza» cuando actúa para preservar vuestra supervivencia. Con la práctica diaria de la relajación entrenaréis el S.N.P., relegado a segundo plano por el funcionamiento casi continuo del S.N.S. condicionado por el estrés, etc. De esta manera aprenderéis a estar cada vez más tranquilos y podréis romper el círculo vicioso: tensión psíquica-tensión muscular-tensión psíquica...

Podéis emplear la relajación durante muchos otros momentos del día y en cualquier posición: sentados, de pie o andando y en posiciones diferentes en la cama. Con respecto a la cama, ya tenéis entrenamiento suficiente como para que no sea imprescindible la posición que describíamos el primer día. Aquellos a los que no os guste esa posición, podéis hacerlo en otras distintas, por ejemplo tumbados sobre un costado con la pierna de abajo extendida y la otra flexionada, con un brazo bajo la almohada y el otro sobre el cuerpo; boca abajo o en cualquier posición que os resulte cómoda y no requiera esfuerzo muscular para mantenerla.

Podéis también relajaros durante el día, sentados en posiciones más corrientes, mientras estáis en la oficina, en una cafetería o en casa viendo la tele. En ninguno de esos lugares es conveniente permanecer con los ojos cerrados y en la posición que decíamos en el primer capítulo, porque con frecuencia la gente, cuando ve a alguien relajado, se inquieta, le tocan y le preguntan qué le pasa. Debéis procurar, por lo tanto, no llamar la atención; entre otras cosas para evitar que os molesten. Conviene, por ello, aprender a relajarse en cualquiera de las formas habituales de sentarse, por ejemplo con las piernas cruzadas y con los ojos abiertos. Eso sí, es importante que en la postura escogida no haya que hacer fuerza. Si quisierais relajaros con un brazo apuntando hacia el techo no podríais, porque eso requiere hacer fuerza para mantenerlo.

Podéis probar a relajaros en la postura en que estéis ahora, mientras leéis. Fijaos en la postura en que estáis y cuidad simplemente de no tener que hacer un esfuerzo muscular para mantenerla. Sobre todo prestad atención a vuestros hombros que, como sabéis, son una zona habitual de tensión. Si estáis delante de alguien no hace falta que cerréis los ojos. Con ellos cerrados es más fácil; pero ya hemos dicho por qué conviene mantenerlos abiertos cuando hay otras personas.

Hay un truco que facilita la relajación con los ojos abiertos. Consiste en cambiar la forma habitual de mirar. Normalmente, siempre miramos de frente, y si queremos mirar hacia arriba, abajo, o a un lado, giramos la cabeza. Ahora se trata de mirar hacia abajo sin cambiar la posición de la cabeza, cambiando sólo la dirección de los ojos. La vista no debe fijarse en nada concreto, debe dejarse como perdida en una zona neutra donde no haya nada especial que os llame la atención. Por ejemplo, en el suelo. Se trata de una mirada desenfocada, extraviada. No importa que parpadeéis.

A continuación observad la respiración que tenéis en ese momento y cambiadla, imitando la respiración tranquila que aparece espontáneamente cuando os relajáis. Entonces, con cada inspiración repetid mentalmente la palabra «Estoy», notando los hombros, y con cada espiración la palabra «Tranquilo», notando cómo la relajación desciende desde los hombros al resto del cuerpo.

Recordad los pasos:

1. Posición corriente en que no haya que hacer esfuerzo muscular.

2. Atención a los hombros.

3. Mirada hacia abajo, perdida, extraviada, sin agachar la cabeza.

4. Atención a la respiración, imitando la que aparece cuando entrenáis el ejercicio completo.

5. Repetir «estoy» con la inspiración y «tranquilo» con la espiración, notando cómo la relajación desciende desde los hombros al resto del cuerpo.

Detened aquí la lectura y realizad este ejercicio.

EJERCICIO. No se usa grabación.

Esta es una de las formas en que podéis aplicar la relajación en cualquier momento, por ejemplo cuando estéis sentados frente al televisor o al sentaros para estudiar o leer. Se ha comprobado que se aprende mejor cuando se escucha o lee algo en estado de relajación.

Insisto en que diariamente debéis seguir haciendo el ejercicio completo. Sería como el entrenamiento, la adquisición de práctica en relajación. Lo que habéis hecho hace un momento es, simplemente, una de las formas de aplicación de la misma.

Podéis relajaros también *estando de pie*. Lógicamente no podréis relajar los músculos desde las caderas para abajo, pues si lo hicierais os caeríais al suelo. Pero sí podéis relajar el resto del cuerpo. Para evitar movimientos laterales basta con poner los pies separados, un poco más abiertos que las caderas, con lo que todo el cuerpo cae dentro de una base más amplía de sustentación, evitando las oscilaciones laterales. Con el fin de evitar las oscilaciones anteroposteriores, en lugar de tener las piernas rígidas hay que dejarlas ligeramente flexionadas por las rodillas, de forma que si hay algún balanceo, con un pequeño movimiento de las piernas se corrige y el cuerpo queda estable.

Los brazos, al principio, mientras aprendéis, deben colgar a los lados del cuerpo. Cuando tengáis más práctica lo podréis hacer con las manos en los bolsillos o cogidas delante o detrás, siempre que no se aprieten.

Es conveniente que el peso del cuerpo descanse simultáneamente y de forma equilibrada sobre ambas piernas. Solemos tener la costumbre de apoyamos sobre una u otra pierna e ir cambiando el apoyo, pero para relajarse son posiciones inestables que se evitan cuidando que el peso se reparta por igual en las dos piernas.

Colocaos en la postura que hemos explicado (volved a leerla si es preciso) y a continuación repetid los mismos pasos del ejercicio anterior:

1. Atención a los hombros.
2. Mirada hacia abajo sin agachar la cabeza.
3. Observación y cambio de la respiración.
4. Repetición mental de «estoy-tranquilo» al ritmo de la respiración, notando cómo la relajación desciende desde los hombros hasta las caderas.

Detened aquí la lectura, y realizad este ejercicio.

EJERCICIO. No se usa grabación.

Lo mismo podéis hacer mientras paseáis. Basta con que prestéis atención a la respiración y vayáis repitiendo «estoy tranquilo» al ritmo del modo particular de respirar que aparece espontáneamente cuando estáis relajados.

Os habréis dado cuenta que en estos ejercicios usamos la respiración de manera contraria a como la habíamos empleado en los ejercicios anteriores. En ellos decíamos que había que observar la respiración sin modificarla, ya que para ese momento se había hecho espontáneamente tranquila y relajada. Aquí se hace lo contrario, se observa la respiración y voluntariamente se modifica para hacerla tranquila y relajada de modo que, automáticamente, se sincroniza la relajación en el cuerpo.

Hemos utilizado las palabras «estoy tranquilo» porque son palabras poco «sospechosas». A nadie, tenga la ideología que tenga, le va a molestar repetirlas mientras observa su respiración. Pero esto, en realidad, está basado en técnicas que han sido utilizadas en muchas tradiciones, tanto la cristiana como la judía, islámica, budista y otras. En todas ellas se repiten unas palabras al ritmo de la respiración. Por ejemplo, si alguien ha hecho Meditación Trascendental sabe que enseñan una palabra (un «mantra») que debe ser observada mentalmente mientras se repite una y otra vez. Dicen que estas palabras son sonidos de la conciencia. La verdad es que ha habido experimentadores que han hecho meditación repitiendo un sonido totalmente inventado y los efectos parece que eran semejantes.

Durante muchos siglos se ha utilizado, en diferentes tradiciones, el mantra: «Yo soy». Se trata de decir «YO» durante la inspiración y «Soy» durante la espiración. Al decir «Yo» uno intenta localizar la palabra en el centro del pecho y al decir «Soy» nota salir el aire y siente la serenidad que va quedando internamente.

Este ejercicio de «Yo Soy» ha sido utilizado en la tradición judía con la expresión: EHE/IE, y en la tradición hindú con la expresión sánscrita: HAU/SOU. También se ha usado entre los sufíes, siempre con idéntico significado. San Ignacio de Loyola, en sus ejercicios espirituales, propone una técnica consistente en decir con cada inspiración «Padre» y con cada espiración «Nuestro».

Como veis, este ejercicio de observar la respiración y repetir unas palabras tiene una tradición de cientos o de miles de años de probada eficacia como técnica de concentración, de meditación, de introspección y estudio de sí mismo. Quien quiera de vosotros puede emplearlo de esta manera. Por ejemplo, de las palabras «Yo soy» pueden surgir muchas cosas. Podéis afirmar «Yo soy» y preguntaros «¿Yo soy?» o podéis intentar responder a una de las dos cuestiones, a «Yo» o a «Soy». Podríais preguntaros: «¿quién soy yo?» o «¿dónde estoy?» o «¿qué soy yo?» o «¿quién es ese yo que dice 'yo soy'?», etc. Pero ésta es una de las puertas de que hablábamos antes y que dejamos aquí, entreabriéndola para aquellos que quieran traspasarla e investigar en la habitación correspondiente.

Continuaremos ahora con la imaginación. Habéis creado el marco de un espejo del tamaño de una puerta y un espejo en el que miraros. ¿Qué interés puede tener el imaginar nuestra propia imagen? La autoimagen, es decir, nuestro propio esquema corporal, tiene un claro efecto sobre nuestros actos. Si nos imaginamos como personas tímidas, con pocas capacidades y poco atractivas, es muy probable que cuando nos desenvolvamos por la vida no nos atrevamos a muchas cosas y demostremos timidez por todas partes.

Nuestras actuaciones, generalmente, están ligadas a la imagen que tenemos de nosotros mismos. Por ello con esta técnica imaginativa podéis cambiar ciertos aspectos de vuestra imagen física o psíquica con los que no estéis de acuerdo o incrementar aquellos que os parecen bien pero pensáis deben ser mejorados. Esta técnica se convierte en una herramienta para trabajar con la propia imagen, tanto la que queréis tener de vosotros mismos como la que dais ante los demás.

Esta técnica se ha empleado por ciertas personas para vencer su timidez, para poder actuar de determinada forma en reuniones sociales e incluso para adelgazar o engordar. Seguro que algunos os preguntaréis cómo se puede hacer esto último. Basta con poner en el espejo vuestra imagen ideal, la que queréis tener. Por ejemplo, si queréis adelgazar, os veis en el espejo más delgados, o vistiendo ropas que ya no podéis usar porque se os quedaron estrechas, o subidos en una báscula de baño que marca los kilos que queréis tener. Son trucos imaginativos sin más. Es cuestión de verse en el espejo más delgado y sin mal genio; porque ya sabéis que muchas personas al adelgazar empiezan con el mal genio, inconveniente que puede evitarse con este método.

Hay personas que han querido adelgazar y con esta técnica han perdido de 4 a 6 kilos en mes y medio sin cambiar su régimen habitual de comidas de forma sustancial.

También se puede usar para dejar de fumar, viéndoos en el espejo sin fumar, sin tabaco en los bolsillos y de buen humor, viéndoos con una cajetilla delante y rechazando el tabaco o sintiendo que no os apetece fumar.

Es evidente que las posibles aplicaciones de la técnica son tantas como vosotros queráis. Depende de vosotros y de las circunstancias en que os encontréis. Basta con que pongáis en juego alguno de estos «trucos» imaginativos.

Al decir que estas cosas son posibles puedo estaros engañando. En todo caso, el que yo diga que esto es posible no tiene ninguna validez para vosotros; la validez debéis dársela vosotros mismos. Si alguien quiere adelgazar, utiliza el método y le da resultado, le habrá dado validez personal y podrá decir: «Sí, vale». Quien lo utilice y no obtenga resultado no podrá decir que no vale; podrá decir «a mí no me ha servido, pero puede que a otra persona si». Quien no lo utilice se quedará sin saberlo.

En este capítulo y en el próximo diré cosas un tanto inverosímiles. Y lo seguirán siendo hasta que vosotros las comprobéis. Yo las digo porque son reales para mí y además porque otras personas las han comprobado y son reales para ellas. Esto no quiere decir que vayan a serlo para todo el mundo, lo serán para aquellos que las usen y obtengan el resultado correcto.

Hay otros posibles usos de la técnica del espejo. Por ejemplo, hay personas que la han empleado con éxito para tratarse enfermedades de la piel del tipo de eczemas, psoriasis, cicatrices, etc., viéndose, por ejemplo, en el espejo con la piel sana. Para los problemas de la piel sirve tanto esta técnica como la que describiremos dentro de un momento.

Puede que alguno se pregunte cómo funcionan estas técnicas imaginativas. Hay muchas explicaciones posibles tales como proyección en la realidad de los deseos, asimilación de una idea por el subconsciente y plasmación en la realidad, etc. Supongo que puede haber tantas explicaciones como teorías psicológicas. Incluso las personas religiosas pueden hablar del efecto de la fe. Para mí lo importante es saber cuáles son los requisitos imprescindibles para que funcionen. Y yo creo que son tres:

1. Necesidad.
2. Aceptar la posibilidad.
3. Práctica.

En primer lugar debe ser algo que necesitéis realmente. Sí por ejemplo alguien usa la técnica para dejar de fumar o para adelgazar, pero en realidad no siente verdadera **necesidad** de dejar el tabaco o de estar más delgado, es posible que no funcione; entre otras razones porque no dedicará el interés y el tiempo necesarios. Pero puede que además la necesidad, por sí misma, tenga un efecto directo sobre el resultado de estas técnicas.

El segundo requisito es aceptar la **posibilidad** de que ocurra. No se trata de creer que va a ocurrir, pero sí, al menos, de aceptar que podría ocurrir.

El tercer requisito es la **práctica**. Si yo quiero y necesito adelgazar, y después de mirarme en el espejo un día con 7 kg menos, enseguida me voy a la báscula, compruebo que no es así y decido que no funciona y lo dejo, claro está que no funcionará. Si lo hago tres días y lo dejo, tampoco funcionará, como tampoco lo hará si lo hago de vez en cuando, cuando me acuerdo. Es necesario practicar. Si os ponéis un objetivo que necesitáis conseguir, debéis trabajar por lo menos una o dos veces diarias hasta ver si ese objetivo se cumple en un tiempo prudencial.

Creación del «paisaje interno»

Hablaremos ahora del siguiente ejercicio. El nuevo elemento que emplearemos es el marco del espejo como si fuera una puerta. Por eso os dije que el marco fuera grande, precisamente del tamaño de una puerta. Usaremos el espejo como lo hacía «Alicia» en el «País del espejo». Alicia pasaba a otro mundo a través de un espejo y eso es lo que haréis vosotros.

Dentro de un momento, cuando hagamos el ejercicio, diré: «Ahora pasa la puerta del espejo». Lo podéis hacer como os apetezca. Podéis imaginar que el marco tiene una manija y abrís la puerta o bien saltáis a través del espejo. Pasad como queráis.

¿Y al otro lado qué hay? En principio no tiene por qué haber nada, pero vosotros crearéis una herramienta a la que llamaremos «*PAISAJE INTERNO*». ¿Y qué es eso? Pues, evidentemente, es un paisaje que en cada caso será aquel que más le guste a cada uno. Puede ser un paisaje real que ya conocéis y al que podéis ir cuando queráis, o puede ser un sitio que no conocéis y que vosotros creáis por completo. También puede ser un sitio que conocéis y en el que cambiáis cosas que no os gustan.

Por ejemplo, podéis conocer una playa maravillosa, la que más os gusta pero que tiene unos rascacielos que os molestan. Simplemente los quitáis. O podéis imaginar un río en la montaña donde hay tendidos eléctricos, o que está lleno de latas y desperdicios. Pues imagináis el paisaje con un río pero elimináis los postes y cables eléctricos o, en su caso, lo dejáis perfectamente limpio de desechos. Puede ser cualquier paisaje que exista, o que vosotros inventéis, o una mezcla de ambas cosas. Lo único necesario es que cumpla tres requisitos.

Primero: que tenga vegetación, es decir, no puede ser el océano o un desierto (a menos que haya un oasis). Se-*gundo:* que tenga agua, no estancada sino en movimiento, por ejemplo un río, un arroyo, un lago, el mar, etc., y el *Tercer* requisito es que el sol esté en el cielo. En resumen: un paisaje con vegetación, agua limpia y el sol brillando en el cielo.

Se trata de un paisaje donde estaréis vosotros solos a vuestra entera satisfacción; no tiene por qué gustarle a nadie más. Podéis estar desnudos, vestidos o disfrazados, como queráis, pues su utilidad es que estéis a gusto con él. Otra cosa importante es que el agua sea accesible, es decir, que podáis llegar con facilidad hasta ella; no debe ser, por ejemplo, el agua al fondo de un acantilado.

En ese paisaje puede haber animales, si os gustan, pero procurad que no sean tigres, leones o arañas venenosas, a menos que los tengáis amaestrados. En cualquier caso no debe haber otras personas.

Cuando estéis haciendo el ejercicio diré: «pasa la puerta del espejo y crea tu paisaje interno», y lo hacéis así, poniendo en él vegetación, agua y sol.

A continuación os diré: «desplázate por ese paisaje interno, recórrelo y observa los objetos que hay en él». A este respecto hay dos maneras de desplazarse en el paisaje interno. Una es viéndose desde fuera, viendo cómo uno mismo se desplaza por el paisaje como si fuera en un video. La otra es moverse realmente dentro del paisaje. Esta segunda forma es la más conveniente. No es como una película en la que os veis en el paisaje, sino que realmente os instaláis en él y lo recorréis.

Después saldréis del paisaje y os diré que volváis a miraros en el espejo y os digáis: «Estoy mejor, mejor y mejor».

Pasad ahora a la grabación y realizad el ejercicio.

EJERCICIO 9: Creación del paisaje interno.

Puede que alguno tenga cierta dificultad inicial con el paisaje, pero bastará que repita el ejercicio algunas veces y vaya añadiendo o quitando cosas. Recordad que el paisaje lo creáis vosotros y podéis poner o quitar en él lo que queráis. Acostumbraos a pasear por él y, por supuesto, no dudéis en saltar cientos de metros o en volar hasta otra parte si así lo queréis. Aquí el tiempo y el espacio son vuestros.

El paisaje, una vez elegido y creado, debe ser mantenido siempre el mismo. Funcionará como un marco de referencia y los elementos que hay en él son para usarlos. Por eso, si lo cambiáis continuamente, dedicaréis gran parte de vuestro esfuerzo y atención a ello y os distraeréis con facilidad.

La vegetación la emplearéis como punto de referencia dentro del paisaje por donde os moveréis: «Atravieso este bosque, voy hasta aquel árbol, paso estos matorrales y llego a la cascada...», etc.

El agua y el sol los emplearéis, igual que todo lo que estamos usando, de manera simbólica.

Por ejemplo, el agua puede ser símbolo de limpieza, de pureza, de paz y tranquilidad, de vida, de libertad, etc. Todo lo que significa para vosotros son simbolismos posibles del agua. Nosotros la emplearemos fundamentalmente como símbolo de limpieza, de pureza y también de apertura e iniciación.

Fijaos, el agua es un elemento imprescindible para la vida. Nosotros y todos los seres vivos estamos formados en gran parte por agua. La vida en el planeta tierra empezó en el agua. Por otra parte, en múltiples tradiciones, se ha empleado como forma de iniciación, de entrada. Por ejemplo, el bautismo en la religión católica, o la inmersión en un río de los judíos y algunas sectas protestantes, o el uso del agua bendita al entrar en una iglesia, o las abluciones de los musulmanes antes de cada oración. Es decir, el agua se ha empleado a nivel colectivo como símbolo de limpieza y de iniciación. Y en estos sentidos utilizaréis el agua de vuestro paisaje.

En el próximo ejercicio llegaréis al agua y, si podéis meteros en ella, lo hacéis, os bañáis. Si es un arroyo con poca agua, os podéis echar el agua por encima utilizándola como algo que os limpia de cosas que os gustaría no tener. Si, por ejemplo, tenéis cansancio, os lo podéis lavar, o si tenéis dolor de estómago, podéis beber agua para que os lo lave. Puede que tengáis algún dolor de tipo reumático, tristeza o cualquier otra cosa que os moleste, pues os lo laváis simbólicamente con ese agua.

Algunas personas lo han usado para quitarse enfermedades de la piel, como acné, psoriasis, cicatrices, etc. Lo hacen viéndose en el espejo sin ellas y además lavándose en el agua aquello que quieren eliminar.

En cuanto al sol, puede ser un símbolo de calor, vida, luz, alegría, energía, etc. El sol es el origen de la vida en nuestro planeta. En el agua surgió la vida, pero lo hizo merced a la energía suministrada por el sol. Las plantas, mediante la función clorofílica, transforman la energía solar en materia que es ingerida por los animales y que sirve luego para nuestro sustento.

Podríamos decir que todos los seres vivos somos energía solar transformada. El sol es la fuente de vida, de energía, de luz y calor. Pues bien, en este sentido podéis emplear el sol que brilla en vuestro paisaje interno.

Cuando así lo queráis dejad que el sol os bañe, que sus rayos os proporcionen energía. Y, por supuesto, no tengáis miedo de quemaros o deslumbraros. Es un sol que no quema y al que podéis mirar de frente sin problemas. Al fin y al cabo es vuestro y está ahí a vuestro servicio. Empleadlo según vuestras necesidades, llenaos de su luz, energía, fuerza y vitalidad.

Ahora detened la lectura y repetid el último ejercicio sin la ayuda de la grabación, utilizando el agua y el sol del paisaje en vuestro propio beneficio.

EJERCICIO. No se usa grabación.

Cuando al terminar la fase de empleo de la imaginación os digo: «ahora relaja los párpados y deja de imaginar», en realidad lo hago en sentido simbólico, como tina señal de que vais a dejar de imaginar; lo mismo que al principio decimos: «para conectar tus sentidos internos realiza un giro con los ojos...». La explicación, además, es que durante la imaginación, los ojos, igual que al soñar, se mueven y a veces los párpados se contraen. Diciendo la fórmula anterior facilitamos el parar esta fase.

Durante la próxima semana entrenad con este ejercicio. Por supuesto no es necesario que cada vez hagáis todo el ejercicio completo. Podéis hacer sólo la parte física o llegar hasta el espejo. Pero cuando queráis o lo necesitéis, podéis ir a vuestro paisaje interno y en él beneficiaros del sol y del agua.

CAPÍTULO QUINTO

Quisiera, al inicio de este capítulo, revisar los tres requisitos necesarios para que las estrategias imaginativas que estamos desarrollando funcionen. Por un lado: la **necesidad.** Uno debe necesitar aquello que pretende conseguir. No es preciso que sea una necesidad apremiante, basta con que se necesite. Por ejemplo, alguien puede tener arrugas y aunque el eliminarlas o disminuirlas no sea apremiante sí puede ser muy conveniente. En ese caso trabaja en ello, pudiendo hacerlo tanto con el espejo como con el agua.

Por otra parte hay que **aceptar la posibilidad** de que aquello que pretendemos puede ocurrir. Por ejemplo, si uno se propone crecer 3 o 4 cm, puede llegar a conseguirlo, gracias a un cambio en la posición del cuerpo;

pero si quiere crecer 20 cm. es evidente para cualquiera que resultará imposible.

El tercer requisito es **ejercitar.** Si lo hacéis una vez no conseguiréis mucho, pero si lo hacéis de forma continuada durante un tiempo, puede ser que lo consigáis; por ejemplo eliminar esa verruga que os molesta.

En estos asuntos es importante tener tina actitud de «me encantaría conseguirlo y voy a intentarlo, pero sin obsesionarme». Si, por ejemplo, intentáis adelgazar, no debéis pesaros todos los días para comprobar si habéis perdido algún gramo, sino, con tranquilidad, pesaros de vez en cuando. Se trata de hacer las cosas «por si acaso salen» y no con la obsesión de conseguirlas.

En cuanto a la duración de los ejercicios, es variable. En general, para un ejercicio completo, el tiempo promedio es de unos 15 minutos, es decir, de 10 a 20 minutos. Pero, por supuesto, se puede hacer durante todo el tiempo que uno quiera, sin miedo, ya que en ningún caso resultarán efectos negativos; ¡a menos que por hacer el ejercicio no lleguéis al autobús o a la cita con la novia!

Antes de seguir, dejad aquí la lectura y repetid el último ejercicio del capítulo anterior, utilizando el espejo, el paisaje y sus elementos en vuestro propio beneficio. Esta vez también lo haréis sin la ayuda de la grabación

EJERCICIO: No se usa grabación.

Crearemos ahora nuevos instrumentos de trabajo. Lo que estáis haciendo en estos últimos capítulos no es ni más ni menos que desarrollar instrumentos simbólicos, herramientas imaginativas, para poder utilizar cosas que ya tenéis. Es decir, del curso no obtendréis nada nuevo, nada que no tuvierais ya. Se trata sólo de herramientas, trucos, habilidades, para usar cosas que ya poseéis y para emplear el pensamiento y la imaginación en vuestro beneficio o en beneficio de otros.

Crearemos un nuevo elemento al que llamaremos «*MORADA INTERNA*».

En vuestro paisaje interno debéis buscar un lugar adecuado en el que edificaréis, construiréis, es decir, crearéis una morada. Empleo el término morada para no influir en el sentido de que tenga que ser un chalet, un palacio, una cabaña o un apartamento.

Cada uno escogerá su morada, entendiendo por morada un espacio cubierto donde os instalaréis a realizar cierto tipo de trabajos que no se suelen hacer al aire libre. Para realizar esas tareas, normalmente, nos metemos bajo techo. A ese lugar con techo, a ese recinto, lo llamaremos morada interna. Puede ser desde una cueva hasta una choza hecha con ramas o un lujoso chalet o un rascacielos. Cada uno, según sus gustos, pondrá en el paisaje la morada que le apetezca.

Primero crearéis la parte externa de la morada, lo que se ve desde fuera. Lo podéis hacer con los materiales, las formas y los elementos que queráis. Puede que sea grande o pequeña, de madera o de mármol, de lo que os dé la gana (no tenéis que escatimar en los materiales porque son gratis). El único requisito es que tenga una puerta por la que podáis entrar y salir.

Después de haber creado la morada por fuera, os diré que entréis por la puerta para crear el interior. Dicho interior no tiene necesariamente que corresponderse con el exterior. Es decir, el exterior puede ser en forma de choza y cuando os metéis dentro tener cientos de salones inmensos. No tiene por qué haber una congruencia entre lo uno y lo otro, porque la imaginación es vuestra y hacéis la morada como os apetezca.

En resumen, a esa morada le dais por fuera y por dentro el aspecto que más os guste. En realidad el aspecto interno y externo no son más que marcos de referencia para fijar la atención al trabajar.

La parte interior de la morada la arreglaréis a vuestro gusto. Podéis poner un solo salón o muchas habitaciones. Como queráis. Lo importante es que sea un ambiente que os resulte lo más agradable posible y en donde pongáis las cosas que más os gusten. Si os gusta la pintura, ponéis cuadros, pero por supuesto los originales, nada de copias, porque cuestan lo mismo. Así que ponéis goyas o picassos o lo que os parezca. Y si os gustan los suelos de mármol o las griferías de oro, pues adelante, no escatiméis en nada. Se trata de crear un espacio cerrado en el que estar a gusto, de la misma manera que, en el capítulo anterior, creábamos un espacio abierto a nuestra entera satisfacción.

El único requisito que precisa la parte interna de vuestra morada es que haya un lugar cómodo donde sentarse. Por ejemplo, puede tratarse de una butaca o sillón. Delante y por encima, es decir, a un nivel un poco más alto que el lugar donde estáis sentados, colocaréis el televisor de vuestra propia casa. En este punto hay personas que se sienten molestas y dicen: « ¡Hombre, como voy a tener un sitio tan bonito para luego poner una televisión, con la manía que le tengo!».

El motivo de poner el televisor de vuestra casa es que se trata de un aparato que conocéis muy bien; lo habéis visto muchas veces encendido y apagado y por ello resulta muy fácil colocarlo ahí con la imaginación para poder trabajar con él.

Si alguien tiene mucha manía al televisor puede emplear cualquier otra pantalla y lo mismo puede hacer quien no tenga televisor en casa: pone un televisor cualquiera o una pantalla. Insisto en que la razón de emplear un televisor es de naturaleza práctica. Que sea el de vuestra casa facilita aun más el imaginarlo.

Ese televisor debe estar, como os decía, delante y encima, pues recordaréis que el dirigir los ojos hacia arriba ayuda a concentrarse, a conectarse con el ritmo alfa.

Cuando ahora hagáis el ejercicio crearéis la morada, primero por fuera y luego por dentro, y en ella veréis el sitio cómodo donde os sentaréis frente al televisor. Pero no trabajaréis de momento con él. Lo haréis en el ejercicio siguiente.

Por supuesto, dentro de la morada interna podéis poner, además, todos aquellos utensilios con los que os gusta trabajar. Por ejemplo, si os gusta el «bricolage» ponéis vuestra caja de herramientas, la misma que tenéis en casa, con todas sus herramientas más todas aquellas que os falten. ¿Que os gusta pintar? pues metéis el caballete, las pinturas, los lienzos, etc. Si lo que os gusta es tocar un instrumento o componer música, colocáis allí la guitarra, el piano, la flauta o lo que sea, con las partituras y el resto del material necesario.

En la morada interna tendréis todos los elementos con los que os gustaría trabajar de vez en cuando y no podéis por falta de tiempo; o sí podéis, pero preferís sacar un rato para hacerlo así. Por ejemplo, músicos que han hecho este curso han puesto allí sus instrumentos y algunas veces, cuando quieren ensayar o componer, se meten en la morada interna con su piano o su guitarra y lo hacen. Aquellos que pintan se meten en su morada interna y crean el cuadro y cuando ya les gusta se salen y lo hacen realmente, con un lienzo y unas pinturas reales. Entre tanto todas las pruebas les han salido gratis de material y además han podido ir haciendo cambios sobre la marcha con gran facilidad.

También debéis poner en la morada un botiquín, con remedios para cualquier dolencia y que podréis usar para vuestro beneficio.

El botiquín en la morada interna, tiene como objetivo el desarrollar o incrementar en vosotros una capacidad que de un modo natural presenta mucha gente. Es el "efecto placebo".

En farmacología se llama efecto placebo a la capacidad terapéutica de un producto que es inactivo químicamente. Dicho de otro modo es el efecto curativo de una sustancia a través de los mecanismos psicofisiológicos que se despiertan en el paciente por el hecho de estar convencido de la excelencia del producto que toma. Cuando se prueba la eficacia curativa de un producto, esta debe ser superior al 30%. Esto es así porque el efecto placebo mejoraría por sí solo a 30 de 100 personas que tomaran el producto y por lo tanto un fármaco debe ser eficaz en un porcentaje mayor de casos.

Esta capacidad de autocuración que todos poseemos, se ve incrementada por el ritual de comprar la medicina, abrir el envase, acordarse de tomarlo a horas y dosis precisas, etc. Todo este ritual lo podemos poner en funcionamiento con nuestra imaginación mediante el botiquín de la morada interna.

Algunas personas han dejado de tomar su píldora de dormir, que habían usado durante años contra el insomnio, y la han sustituido eficaz y ventajosamente por la píldora imaginaria de su botiquín placebo.

Quiero repetir ahora la conveniencia de que tanto el paisaje interno como la morada sean siempre los mismos. Si cada vez los cambiáis, si cada vez tenéis que crear un espejo, un paisaje y una morada, el tiempo del ejercicio se os va en crear estas cosas, acabando, de esta manera, por dispersaros. Si los creáis una vez, usándolos siempre como puntos de referencia para centrar la atención, os resultará más fácil usar los otros elementos como el agua, el sol o la pantalla. Estos últimos son, digamos, las herramientas de uso, y el resto, los elementos fijos que no tienen que cambiar de una vez para otra.

Ahora bien, si pasado un tiempo de trabajar con este paisaje o esa morada decidís que no os gusta y queréis crear otro, lo hacéis. Pero ese otro lo empleáis también de una manera continuada. Lo que cambia cada vez es el empleo que hacemos de las herramientas que hemos creado.

Pasad ahora a la grabación y realizad el ejercicio.

EJERCICIO 10: Creación de la morada.

Quizás habréis notado que cuando estáis en el paisaje podéis moveros físicamente, cambiar de postura corporal y el nivel de relajación no cambia. Es decir, cuando estáis en esos niveles de relajación la inmovilidad no es indispensable. Pasa algo parecido a lo que ocurre en el sueño por las noches: es imprescindible entrar a través de una relajación muscular, pero una vez que os habéis dormido os podéis mover y no os despertáis. Aquí pasa lo mismo. Si bien es aconsejable mantener la relajación, si os movéis continuáis estando en el mismo paisaje interno, en la misma morada. El hecho de moveros algo no os saca de la situación mental en que os encontráis. Esto lo digo porque ahora aconsejaré que os mováis cuando trabajéis con la pantalla.

Antes de seguir adelante supongo que habréis situado en vuestra morada un televisor o una pantalla frente a un lugar cómodo. Ese televisor tiene un mando a distancia que no es complicado, pues sólo tiene un botón que obedece perfectamente las órdenes de vuestra imaginación.

Cuando trabajéis con el televisor tendréis el mando a distancia en vuestra mano derecha (izquierda en el caso de los zurdos). Conviene que lo sintáis en vuestra mano física, real, poniendo un dedo sobre el interruptor. Tomad el mando a distancia y oprimid el interruptor para encender el aparato o para ampliar la imagen, cambiar el color o sacar la imagen de la pantalla. También podéis hacer lo mismo para reducir la imagen o para usar el televisor como una pantalla de rayos X. En cada caso hacéis un movimiento físico con la mano derecha apretando con el dedo ese interruptor imaginario, con objeto de darle mayor realismo a lo que estáis haciendo.

Algunas veces, cuando saquéis cosas de la pantalla, puede que sea conveniente que las toquéis; en ese caso moveréis las manos realmente.

Por ejemplo, cuando estáis mirando el brazo de alguien y veis que tiene una forma rara y decidís mirarlo por rayos X. Así veis los huesos y comprobáis que están partidos. En ese caso sacáis fuera la imagen, cogéis los huesos con las manos, los estiráis, los ponéis enfilados y los unís con un alambre alrededor, los colocáis en su sitio y ya está. Este es un ejemplo para que entendáis el tipo de cosas que se pueden hacer con esta pantalla.

Ahora, la próxima vez que utilicéis la pantalla lo haréis para ver en ella una persona sana que vosotros conozcáis. Todos conocemos alguna persona que se supone está sana, alguien que sabéis que está fuerte y saludable. Entonces, cuando oprimáis el interruptor que tenéis en la mano derecha, en pantalla aparecerá la figura de esa persona sana a quien conocéis. Lo hacéis y os imagináis a esa persona en la pantalla.

Puede ocurrir que, cuanto estéis trabajando con las imágenes de la pantalla, el resto del televisor desaparezca, lo mismo que cuando estabais viendo la imagen en el espejo el marco desaparecía. No importa que esto ocurra, lo importante en ese momento es la figura con la que estáis trabajando; el televisor es sólo un marco de referencia.

A continuación os fijaréis en esa persona sana, en detalles de su cara, su cuerpo, sus piernas, etc. Después lo podremos ver, por ejemplo, por rayos X y veremos los huesos o sus diferentes órganos: corazón, estómago, hígado, etc. No os preocupéis, se trata de un aparato de rayos X muy sofisticado capaz de hacer todas esas cosas. Este es el tipo de trabajo que haremos de momento con la pantalla, pero se pueden hacer muchas otras cosas.

Dejad aquí la lectura y realizad este ejercicio.

116

*EJERCICIO: Sin utilizar la grabación, empleando en el tra-
bajo de imaginación con la pantalla todo el
tiempo que juzguéis oportuno.*

Hasta ahora habéis visto que todos los elementos que hemos ido creando son para vuestro propio beneficio. Es decir, la relajación física, el espejo, el paisaje y la morada han sido, hasta ahora, herramientas para trabajar sobre vosotros mismos. La pantalla interna es el primer elemento que introduciremos para poder trabajar para otras personas, si es que así lo deseáis.

¿En qué consiste esto de trabajar para otros? Podríamos decir que la pantalla no es más que una herramienta simbólica, como todo lo que hemos creado, para canalizar nuestra buena intención hacia otras personas. Hay veces que alguien os dice: «Tengo un dolor de estómago que me tiene fastidiado y no sé que hacer». Y vosotros le decís: «Pues cuánto lo siento, yo no puedo hacer nada». Pero probablemente pensáis «si yo pudiera hacer algo...». Ese «si yo pudiera hacer algo...» lo podéis canalizar a través de esta herramienta. Para ello os vais a vuestra morada interna, conectáis la televisión y veis en ella a esa persona con su cara de dolor de estómago y comprobáis, usando, por ejemplo, vuestro sofisticado sistema de Rayos X que tiene «irritación» porque tiene muchos «ácidos». Entonces podéis aplicarle un «spray» que quita los «ácidos». Una vez hecho, le volvéis a mirar la cara en la pantalla y ahora le veis sonriente, sano y feliz.

Puede que sea una persona a quien le duele la cabeza o un niño que se muerde la uñas. Pues le veis en la pantalla y le dais una de esas maravillosas pastillas que todo lo curan y que guardáis en el botiquín de vuestra morada interna y luego veis al niño con las uñas bien largas y sin ganas de mordérselas.

Estos son ejemplos de cómo utilizar la herramienta PANTALLA para canalizar vuestros deseos o buenas intenciones hacia otros.

No os aconsejo que utilicéis la pantalla para enfermedades mentales. Lo digo en el sentido de escudriñar enfermedades de este tipo. Si alguien está angustiado, triste o deprimido y queréis canalizar vuestra buena intención hacia él, basta con que lo veáis en la pantalla sonriente, sano y feliz, porque alguien así no suele estar ni angustiado ni deprimido.

También podéis emplear la pantalla para mejorar relaciones personales, tanto vuestras con otras personas, como de otras personas entre sí. Por ejemplo, ese compañero de trabajo con quien os lleváis mal o discutís siempre. Podéis ir a la pantalla y ver en ella al compañero ya vosotros mismos y ver que solucionáis vuestras

diferencias, os lleváis bien y el trato se hace agradable. Se ha usado también para arreglar desavenencias
dentro de la pareja planteando situaciones concretas,
viéndolas en la pantalla y observándolas desde fuera
para modificarlas en un sentido positivo.

Digamos que lo mismo que hacemos en el espejo
con respecto a nuestro cuerpo lo hacemos aquí respecto
a otras personas. La pantalla no debe emplearse para
solucionar problemas físicos personales. En vez de eso
podéis decirle a un amigo que conozca este método:
«oye, me pasa esto; haz el favor de trabajarme este problema en tu pantalla».

Este método se ha empleado, por ejemplo, para problemas de niños que se hacen pis en la cama. Lo hacen
sus madres, imaginando al niño que duerme tranquilo,
siente ganas de orinar, se despierta y lo pide o se levanta

y lo hace él solo en el baño. E imaginando también que por la mañana se despierta seco.

Cuando hacéis un trabajo de este estilo para una persona y ocurre un cambio favorable en ella, puede ser simplemente una coincidencia. Y efectivamente eso es lo que yo pienso cada vez que ocurre, que es una coincidencia. Lo que pasa es que cuando os ocurre una y otra vez, aunque algunas veces no funcione, podéis pensar que estáis aprendiendo a «provocar las coincidencias» o que es transmisión de pensamiento o que habéis hecho un curso de «brujería» en vez de relajación. Podéis pensar lo que queráis; el caso es que si alguien necesita vuestra ayuda, hacéis el intento y si esa persona sale beneficiada, pues ¡qué maravillosa coincidencia!

Por supuesto existe la posibilidad de no creerse nada de esto y no usarlo. Quien no lo utilice no obtendrá resultados. A quien sí lo haga, no le puedo asegurar que le funcione; pero sí puedo decir que hay bastantes personas que lo emplean y les suele funcionar. Generalmente piensan que se trata de coincidencias, pero cuando ocurre con frecuencia llegan a pensar que realmente son «demasiadas coincidencias».

A partir de ahora podéis utilizar el ejercicio de relajación creativa de la forma que mejor os parezca. Podéis hacer relajación física o entrenar la concentración, utilizando con la respiración el sonido o «mantra» que queráis emplear. Podéis relajaros frente a un semáforo mientras cambia a verde o esperando el autobús. Podéis ir al paisaje interno *y* emplear el agua *y* el sol en vuestro beneficio o pasar a la morada interna y allí diseñar ese mueble que queréis haceros, componer con vuestro piano o ayudar a vuestro amigo que tiene tal o cual problema.

120

Os habréis dado cuenta de la capacidad que tenéis ahora para mantener la atención en una idea sin distraeros ni quedaros dormidos. Pienso que lo habéis logrado gracias al periodo inicial de aprendizaje, cuando os entrenabais a entrar y salir de la relajación sin deteneros largo tiempo, impidiendo así la dispersión imaginativa.

Este trabajo con la imaginación guarda similitud con lo que ocurre durante los sueños nocturnos. El sueño es un tiempo que el cerebro emplea en su propia reparación. Si al cerebro se le impide esta reparación -por ejemplo, evitando artificialmente que alguien sueñe- el sujeto puede presentar alteraciones psíquicas al cabo de pocos días.

Durante la relajación ponéis el cerebro sincronizado en ritmo alfa y lo utilizáis para producir imaginaciones semejantes a los ensueños. Durante ese tiempo, igual que en el sueño nocturno, el cerebro experimenta procesos de reparación que mejoran su rendimiento en el estado de vigilia posterior. Pero además, como, a diferencia de lo que ocurre durante el sueño, en la relajación permanecéis conscientes, podéis hacer que esas imaginaciones resulten creativas y benéficas, tanto para vosotros como para otras personas.

A partir de aquí depende de vuestra necesidad, vuestra habilidad para crear estrategias y herramientas y vuestra constancia en hacer los ejercicios, el que vayáis obteniendo los resultados que os propongáis. Creo que, con los ejemplos que he ido poniendo a lo largo de este capítulo, habrá quedado claro el tipo de cosas que podéis hacer en vuestro beneficio o para ayudar a otras personas. Y estoy seguro que durante vuestras prácticas se os irán ocurriendo muchas más.

Antes de hacer uno de estos ejercicios conviene que penséis en el tipo de herramientas a usar en cada problema en concreto. Resulta útil, por ejemplo, disponer en la morada de un botiquín con todo tipo de remedios: pastillas, hierbas, agujas de acupuntura, elixires, "sprays", etc.

Suponed ahora que os tenéis que enfrentar con un examen, por ejemplo, de conducir. Al hacer el ejercicio podéis llegar a la pantalla y veros entrando en el local del examen teórico, tranquilos y relajados. Os veis contestando bien todas las preguntas y saliendo luego a la calle donde realizáis sin problemas todas las pruebas que os pongan. Al salir del paisaje interno os veis en el espejo, sonrientes y tranquilos con la satisfacción de haber aprobado el examen.

No olvidéis que tenéis una pantalla enormemente eficaz y sofisticada con la que podéis «Ver», por ejemplo, a una persona haciéndola luego salir de ella y sentarse frente a vosotros para entablar una conversación amigable donde resolver los problemas que tenéis entre vosotros. Y, por supuesto, nada os impide, al terminar la conversación, abrazar a esa persona deseándole lo mejor.

Siempre que uséis la pantalla, una vez hayáis terminado, devolvéis la persona o situación a la pantalla, os despedís y apagáis la televisión apretando el interruptor que sostenéis en vuestra mano derecha.

Siempre me gusta terminar hablando del concepto de salud psicosomática. Todos habéis oído hablar de las enfermedades psicosomáticas que generamos a partir de nuestra mente, de nuestros pensamientos «negativos», que pueden tener una repercusión patológica directa sobre nuestro cuerpo. La lista de estas enfermedades es enorme e incluye cosas como úlceras de estómago y duodeno, dolores e inflamaciones articulares, diarreas y estreñimientos, asma, alteraciones del ritmo cardíaco, dolores de cabeza de cualquier tipo y un largo etcétera.

Con los ejercicios que habéis aprendido podéis crear «salud psicosomática», imaginando salud en vosotros o en aquellas personas que os rodean, manteniendo en vuestra imaginación los aspectos positivos y constructivos y cuidándoos de apartar de ella las imágenes «proféticas» negativas.

Este último capítulo es el que abre más posibilidades al uso de la Imaginación Creativa y también puede ser el más discutible o polémico.

No pretendo que nadie crea *a priori* en las posibilidades que apunto en él. Sólo sugiero que se puede utilizar la imaginación en el propio beneficio y quizás en el de otros.

Algunas personas que han aprendido estas técnicas en el curso que dicto personalmente, del cual el presente libro es una trascripción, han utilizado y ampliado estas sugerencias. Algunos me llaman para referirme su asombro por éxitos obtenidos consigo mismos o con otras personas. Los que no tienen éxito o abandonan la técnica no suelen llamarme.

Sólo pretendo dejar abierta la puerta de nuestras posibles capacidades que, si no se exploran y desarrollan, continuarán dormidas e ignoradas.

Para terminar, una breve historia-enseñanza de la Tradición Sufí;

Un charlatán en la plaza del pueblo donde vivía Nasrudín, pretendía que por medio de una «técnica relámpago», podía enseñar a leer a cualquier analfabeto.

Nasrudín salió de entre la muchedumbre:

–Enséñame a leer... ya mismo.

El charlatán le tocó la frente mientras recitaba una extraña fórmula y dijo:

–Ahora vete a casa inmediatamente y lee el primer libro que encuentres.

Al poco rato volvió Nasrudín corriendo a la plaza, llevando un libro en la mano y buscando al charlatán que ya había continuado su camino.

– Nasrudín, ¿aprendiste a leer?

– Sí, pero eso no importa, porque en este libro he leído que es imposible aprender a leer instantáneamente y que quien afirma lo contrario ¡es un impostor!

Aplicaciones de la técnica

La técnica Entrenamiento en Relajación Creativa, reco-
gida en este libro, ha sido utilizada por muchas personas en los últimos años y aplicada en diversas áreas. El
autor ha instruido monitores y ha adaptado la técnica
para su aplicación a niños menores de doce años.

En 1988, a través de más de 70 emisoras de Radioca-
dena Española y en el programa "Escuela de Salud", se
emitió este Curso de Relajación impartido por su autor,
con una duración de siete semanas, siendo la primera
vez que se dictaba por radio un curso de relajación en
nuestro país. Después de cada programa se respondie-
ron telefónicamente las numerosas consultas formuladas
por oyentes de toda España que demostraron una buena
acogida y gran interés.

En el área docente, el curso ha sido impartido por
maestros y pedagogos (monitores de la técnica) en
diversos Institutos de EGB y BUP en colegios públicos y
privados de Cádiz, Sevilla, Alicante y Madrid.

Con tests que determinan la capacidad de atención
y retención de datos, se ha medido un incremento esta-
dísticamente significativo de estos dos factores, en estudiantes de EGB que han aprendido y entrenado esta
técnica.

Algunos maestros han reportado al autor informes
en los que refieren mejorías de comportamiento en el
aula de niños hiperquinéticos y también en casos de
tartamudez.

El autor ha impartido el curso de Entrenamiento en
Relajación Creativa para profesores y alumnos del Con-
servatorio Superior de Música "Oscar Esplá" de Alicante

125

En el terreno terapéutico, en la sección de Nefrología del Hospital General de Segovia, se imparte periódicamente el curso para médicos y enfermeras del hospital, así como para pacientes en programa de hemodiálisis y de la consulta general de Nefrología, especialmente dirigido a los afectados de hipertensión arterial.

También fueron entrenados en esta técnica los médicos, enfermeras y personal auxiliar del Hospital Cardiovascular de Alicante.

El presente libro es usado como texto para entrenar en relajación a los toxicómanos tratados en el centro de Rehabilitación "Girasol" en la provincia de Cádiz.

En centros de asistencia a la tercera edad y formando parte del programa "Envejecer mejor", se ha instruido a ancianos en la práctica de esta técnica.

Publicados en la *Revista de Psicoterapia y Psicosomática* se presentaron estudios con determinaciones estadísticas resultantes de la aplicación de tests en pacientes con problemas de ansiedad. Las pruebas fueron realizadas antes y después del Entrenamiento en Relajación Creativa, objetivándose una notable mejoría en los cuadros de ansiedad y sus manifestaciones.

Además entre otros cursos se han impartido:

– Entrenamiento en la técnica de relajación creativa y grupos abiertos para el manejo de emociones en el Servicio de Psiquiatría del Hospital Central de la Cruz Roja. Madrid 1984-1990.
– Entrenamiento en la técnica de Relajación Creativa a profesionales del Servicio de cardiología del Hospital

12 de Octubre. Madrid, 1991.

– Entrenamiento en la técnica de Relajación Creativa para pacientes del Instituto de Psiquiatría Dinámica. Madrid. 1983-1995.

– Entrenamiento en Relajación Creativa y habilidades para el manejo de emociones en la Fundación Girasol (para el tratamiento y prevención de las drogodependencias). Junta de Andalucía. Cádiz. 1981-2001

– Entrenamiento en Relajación Creativa y habilidades para el manejo de emociones; curso para Mejora de la Autoestima y curso de Manejo del Estrés para población general en la Escuela de Orientación Familiar de FERMAT (Federación de padres de drogodependientes). Madrid. 1988-1997.

– Formación de profesionales en la técnica de Relajación Creativa para el Programa de Menopausia del Ayuntamiento de Madrid. Madrid. 1995-1998.

– Entrenamiento en Relajación Creativa y habilidades para el Manejo de las Emociones y Grupos de Apoyo Emocional para pacientes infectados por el VIH en el Programa de Prevención de SIDA y ETS del Ayuntamiento de Madrid. Madrid. 1994-2004.

– Entrenamiento Relajación Creativa, habilidades emocionales y grupos de apoyo emocional para funcionarios del Ayuntamiento de Madrid. Madrid. 1999-2004

– Entrenamiento en Relajación Creativa y curso para el Manejo del Estrés dirigido a controladores aéreos de AENA. Madrid. 1996-1998.

– Entrenamiento en Relajación Creativa, Consciencia Creativa y Grupos de Apoyo Emocional en el Centro de psicoterapia Escuela Granada. Madrid. 1986-

2004.

– Curso de control y tratamiento del estrés para funcionarios en la Escuela Superior de la Función Pública. INAP. Madrid. 2000.

– Programa de entrenamiento en técnicas de relajación y manejo del estrés a profesores en el C.P.R. de Torrelaguna. Madrid. 2001.

– Programa de entrenamiento en Relajación Creativa y Habilidades Emocionales en el centro de Profesores de Talavera de la Reina. Toledo. 2001-2002.

– Programa de Entrenamiento en Relajación Creativa y Habilidades Emocionales en el centro de Profesores del distrito de Latina de Madrid. Colegio Hernán Cortés. Madrid. 2001-2002.

– Formación de monitores en la técnica de Relajación Creativa en Escuela Granada. Abril-mayo 2002.

– Cursos de Entrenamiento en Relajación Creativa y Habilidades Emocionales para usuarias del Programa de Menopausia del Área de Salud. Ayuntamiento de Madrid. Madrid 2002-2004.

La presente obra tiene una continuación llamada "LA SABIDURÍA DE LAS EMOCIONES. ENTRENAMIENTO EN CONSCIENCIA CREATIVA", también publicada en forma de libro con grabación, trascripción del curso del mismo nombre que se sigue impartiendo en Escuela Granada, calle Jardín de San Federico, 5. Bajo izda., teléfono 914 015 968, consistente en la aplicación del "ENTRENAMIENTO EN RELAJACIÓN CREATIVA" al plano de las emociones y del pensamiento, para el entrenamiento en Habilidades Emocionales.